iPad
迷わず使える操作ガイド 2024

JN056337

今日から
使える!
意外と
カンタン!

standards

FaceTime
ファイル
ホーム
カメラ
ポッドキャスト
TV

はじめて手にしたiPad。何をどうしたらいいのかわからない…。そんな人もつまずくことなく基本操作が身につきます。

はじめにお読みください

本書の記事は2024年1月の情報を元に作成しています。
iPadOSやアプリのアップデート、使用環境などによって、機能の有無や名称、表示内容、操作法が本書記載の内容と異なる場合があります。あらかじめご了承ください。
また、本書掲載の操作によって生じたいかなるトラブル、損失についても、著者およびスタンダーズ株式会社は一切の責任を負いません。自己責任でご利用ください。

CONTENTS

SECTION 2 アプリの操作ガイド

SECTION 3 もっと役立つ便利な操作

本書の注意点

「設定」アプリについて

iPadのさまざまな設定は、「設定」アプリ上で項目を選んだりスイッチを操作して行う。本書で設定アプリの該当項目を解説する際は、「設定」→「一般」→「キーボード」という形式で紹介する。これは設定アプリを開いてメニューの「一般」をタップし、次の画面で「キーボード」をタップするという内容だ。頻繁に使う解説方法なのであらかじめ理解しておこう。

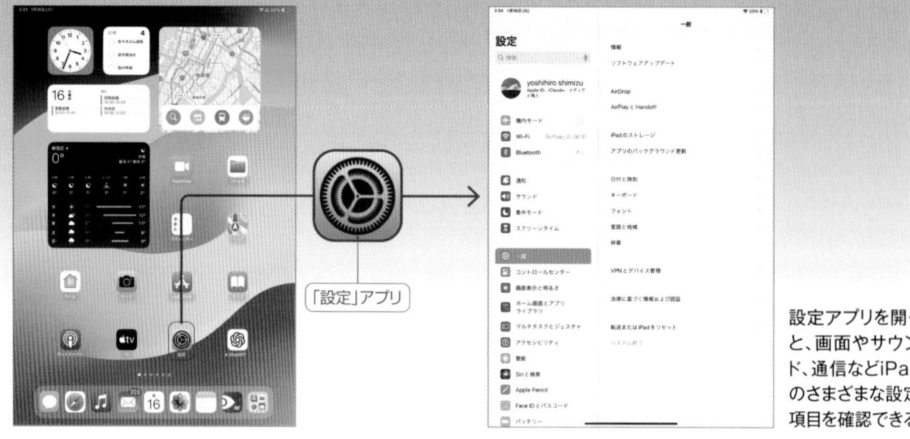

「設定」アプリ

設定アプリを開くと、画面やサウンド、通信などiPadのさまざまな設定項目を確認できる。

iPadOSのアップデートについて

iPadを動かす「iPadOS」という基本ソフトウェアは、新機能の追加や不具合の修正が発生するとアップデートプログラムが配信される。右のように設定しておけば「自動アップデート」が有効になり、電源とWi-Fiに接続中の夜間に自動でアップデートが適用され、最新状態に更新される。自動アップデートをオフにし、自分の好きなタイミングで手動アップデートを行うこともできるが、アップデートは早めに行い、iPadOSを最新状態にしておくことが推奨されている。

1 自動アップデートを設定する

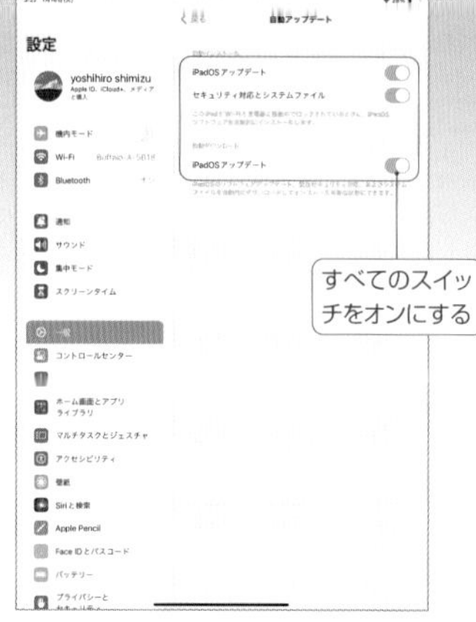

すべてのスイッチをオンにする

「設定」→「一般」→「ソフトウェアアップデート」→「自動アップデート」ですべてのスイッチをオンにしておこう。通知が届いた後、夜間に自動でアップデートが実行される。ただし、電源とWi-Fiに接続していなければならない。

2 アップデートを手動で行う

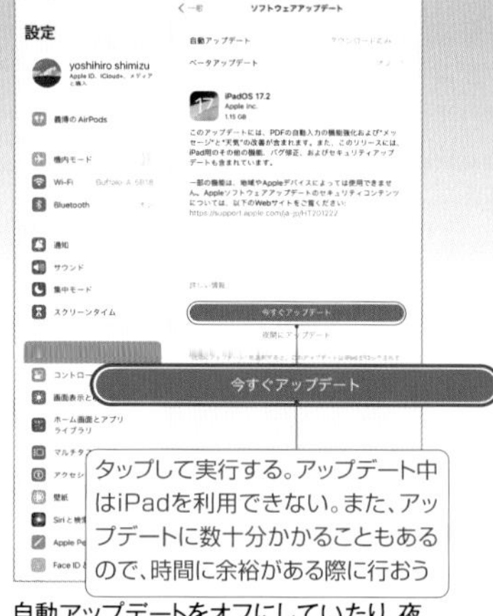

今すぐアップデート
タップして実行する。アップデート中はiPadを利用できない。また、アップデートに数十分かかることもあるので、時間に余裕がある際に行おう

自動アップデートをオフにしていたり、夜間に電源につないでいないなどの状況で、手動アップデートを実行したい場合は、「設定」→「一般」→「ソフトウェアアップデート」で「今すぐアップデート」や「ダウンロードしてインストール」をタップする。

iPadOSが最新状態かどうか確認する

「設定」→「一般」→「ソフトウェアアップデート」でアップデートの案内ではなく「iPadOSは最新です」と表示されていれば、iPadOSは最新の状態だ。

記事掲載のQRコードを利用する

本書の記事にはアプリの紹介とともにQRコードが掲載されているものがある。このQRコードを読み取ることによって、アプリを探す手間が省ける仕組みだ。まずは「カメラ」アプリを起動し、「写真」モードでカメラをQRコードへ向ける。QRコードが認識されると同時に表示される「App Store」をタップしよう。すると、「App Store」アプリで該当アプリの入手ページが開くので、アプリをiPadにインストールしよう。なお、アプリのインストール方法はNo014とNo015の記事で詳しく解説している。

1 QRコードへカメラを向ける

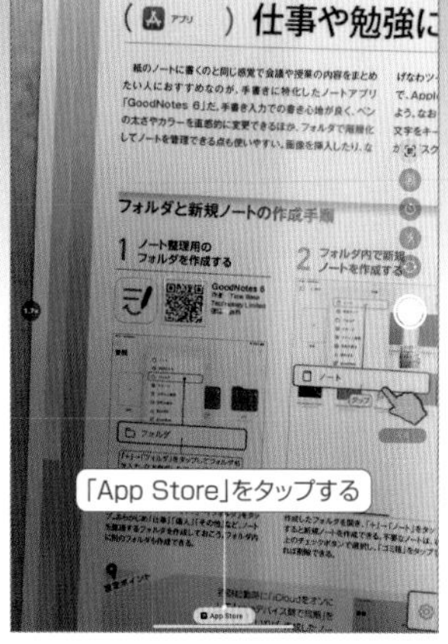

仕事や勉強に
フォルダと新規ノートの作成手順
「App Store」をタップする

「カメラ」アプリを起動し、QRコードへ向ける。すぐにスキャンが完了するので、表示された「App Store」をタップしよう。

2 App Storeの入手画面が開く

Goodnotes 6
入手
「入手」をタップしてインストール

「App Store」をタップすると、すぐに「App Store」アプリが起動し、該当アプリの入手ページが表示される。「入手」をタップしてインストールしよう。

コードスキャナーを利用する

QRコード読み取り機能の「コードスキャナー」を利用することもできる。No005の記事で解説しているコントロールセンターを表示し、コードスキャナーをタップしよう。

12月20日 水曜日

18:52

SECTION 1

基本の操作ガイド

まずはiPadの基本操作をマスターしよう。
本体に搭載されているボタンの役割や、
操作の出発点となるホーム画面の仕組み、
タッチパネル操作の基本など、
iPadをどんな用途に使うとしても
必ず覚えなければいけない操作を総まとめ。

基本

001

本体操作

iPadは指先で画面を触って操作する タッチ操作の種類をマスターする

iPadの画面にはタッチセンサーが搭載されており、画面に指で直接触れて操作できる。電源ボタンと音量ボタン以外のすべての操作は、このタッチ操作で行う。たとえば、ホーム画面でアプリをタッチすればそのアプリが起動するし、ホーム画面に触れたまま横方向になぞるように動かせば別の画面に切り替わるのだ。タッチ操作には、画面を軽く1回タッチする「タップ」や、画面に触れたまま指を動かす「スワイプ」など、さまざまな種類がある。本書では、ここで紹介する8つの操作名を使って操作手順を解説しているのでしっかり覚えておこう。

1 「タップ」は指で画面を軽く1回タッチする

ホーム画面のアプリをタップするとそのアプリが起動する

「タップ」は、画面を指先で軽く叩く操作だ。タップした後の指はすぐに画面から離すこと。アプリをタップして起動したり、項目をタップして選択するなど、最もよく使う操作法だ。

2 「ダブルタップ」は画面を2回連続でタップ

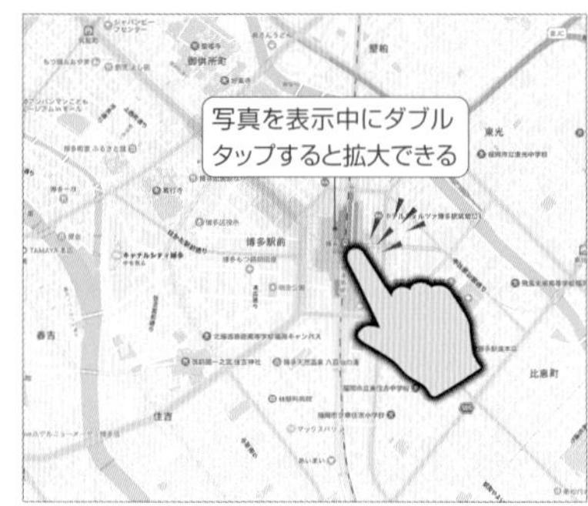
写真を表示中にダブルタップすると拡大できる

「ダブルタップ」は、タップを素早く2回連続で行う操作だ。画面を2回軽く叩いたら、指はすぐ画面から離すこと。写真やマップでダブルタップすると、拡大表示することができる。

3 「ロングタップ」は画面を押し続ける

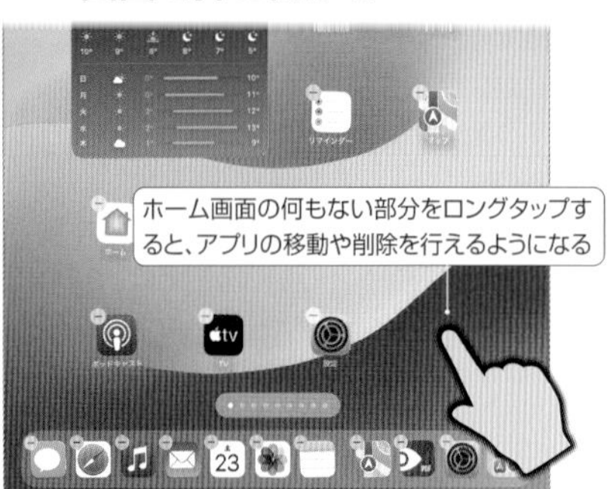
ホーム画面の何もない部分をロングタップすると、アプリの移動や削除を行えるようになる

「ロングタップ」は、画面を1～2秒ほど押し続ける操作だ。たとえば、ホーム画面の何もない部分をロングタップし続けると、移動や削除などの操作ができるようになる。

4 「スワイプ」は画面に指を触れたまま動かす

マップアプリでは、画面をスワイプした方向へ表示エリアが移動する

「スワイプ」は、画面に指先を触れたままさまざまな方向へすべらせる操作だ。画面の切り替えやマップの表示エリアを移動する際など、多彩な用途で使用する操作法だ。

5 「ドラッグ」は何かを引きずって動かす

ホーム画面のアプリをロングタップした後、ドラッグして動かせる

「ドラッグ」は、スワイプと同じ操作だが何かを掴んで引きずって動かすようなときに使う操作方法だ。ホーム画面のアプリ移動、文字編集時の選択範囲の変更などで使う。

6 「フリック」は画面をタッチして弾く

Webサイトなどを上下にフリックすれば、強さに合わせたスピードでスクロールできる

「フリック」は画面をタッチして弾く操作だ。「スワイプ」とは異なり、弾く力加減によって勢いを付けた操作が可能。画面をスピーディにスクロールさせたいときなどに利用する。

7 「ピンチイン／アウト」は2本の指を狭める／広げる

マップでピンチインすると表示を縮小、ピンチアウトすると拡大できる

「ピンチイン」と「ピンチアウト」は、2本指を画面に触れた状態で、指の間隔を狭める／広げる操作だ。マップや写真アプリなどでは、ピンチインで縮小、ピンチアウトで拡大できる。

8 2本指を使って回転させる操作も可能

マップで2本指を触れたまま回転させると表示も回転する

マップアプリなどで画面を2本指でタッチし、そのままひねって回転させると、表示を好きな角度に回転させることができる。ノートなどのアプリでも使える場合がある。

基本

 本体操作

iPadの上部にある電源ボタンの使い方

電源のオン／オフとスリープの操作を覚えよう

iPadの上部右端にある電源ボタンは、電源のオン／オフやスリープ（消灯）などの操作を行うボタンだ。電源オンは電源ボタンを長押し（押したまま少し待つ）し、電源オフは電源ボタンといずれか片方の音量ボタン（ホームボタン搭載のiPadは電源ボタンのみ）を長押しする。スリープやスリープ解除は、電源ボタンを1回押す（長押しではない）だけでよい。なお、電源オフの状態では、iPadの全機能が無効となる。一方スリープは画面を消灯しただけの状態で、メールやメッセージの着信や音楽の再生などの動作はそのまま実行され続ける。iPadを使わないときも、電源オフではなくスリープにしておけばよい。

ホームボタンの有無で操作法が異なる

1 電源オンは電源ボタンを長押し

電源ボタンを1回押しても画面が点灯しなければ、電源がオフになっている。電源ボタンを4～5秒間長押しして電源をオンにしよう

iPadの電源をオンにしたいときは、電源ボタンを4～5秒間長押しする。Appleのロゴ（リンゴのマーク）が表示されたらボタンから指を離そう。しばらく待てばロック画面が表示される。

2 電源オフは電源ボタンと音量ボタンを長押し

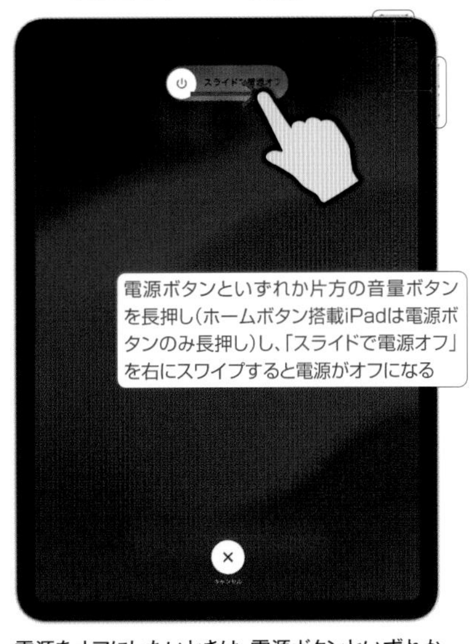
電源ボタンといずれか片方の音量ボタンを長押し（ホームボタン搭載iPadは電源ボタンのみ長押し）し、「スライドで電源オフ」を右にスワイプすると電源がオフになる

電源をオフにしたいときは、電源ボタンといずれか片方の音量ボタン（どちらでもよい）を同時に2~3秒長押ししよう。上のような画面になるので、「スライドで電源オフ」を右にスワイプすればよい。

3 スリープ／スリープ解除は電源ボタンを押す

12月26日 火曜日
14:33
電源ボタンを押してスリープ／スリープ解除を行える。なお、ホームボタン搭載iPadでは、ホームボタンを押すことでもスリープを解除できる

電源オンの状態で画面消灯時に電源ボタンを押すとスリープが解除される。また、点灯時に電源ボタンを押すと画面が消灯し、スリープ状態になる。スリープを解除するとロック画面が表示される。

設定ポイント

画面をタップしてスリープを解除できるようにする

ホームボタンのないiPadに限った機能だが、電源ボタンを押さなくても消灯した画面をタップするだけでスリープを解除することが可能だ。机やテーブルに置いたiPadをすぐに使いたい場合は、電源ボタンを押すよりもスムーズだ。画面をタップしてもスリープを解除できない場合は、設定を確認しよう。「設定」→「アクセシビリティ」→「タッチ」を開き、「タップしてスリープ解除」のスイッチをオンにすれば機能が有効になる。

タップしてスリープ解除
「設定」→「アクセシビリティ」→「タッチ」→「タップしてスリープ解除」をオンに
画面をタップしてスリープを解除

基本

003 他の人にiPadを使われないようにロックしよう ロック画面の仕組みとセキュリティの設定手順

本体操作

iPadは、他の人に勝手に使われないようにロックをかけることができる。電源をオンにしスリープを解除すると、まず「ロック画面」という画面が表示され、指紋認証（Touch ID）や顔認証（Face ID）、パスコードで認証しなければそれより先に進むことができない。認証を行いロックを解除することで、ようやくiPadを使えるようになる仕組みだ。なお、現在販売中のiPadの中で、顔認証（Face ID）を使えるのはiPad Proのみだ。それ以外のiPadでは、指紋認証（Touch ID）を利用する。各種認証の設定は、初期設定で済ませている場合が多いが、未設定の場合は、右ページの通り設定を行おう。

ロック画面とロック解除の基本操作

指紋認証（Touch ID）でロックを解除する

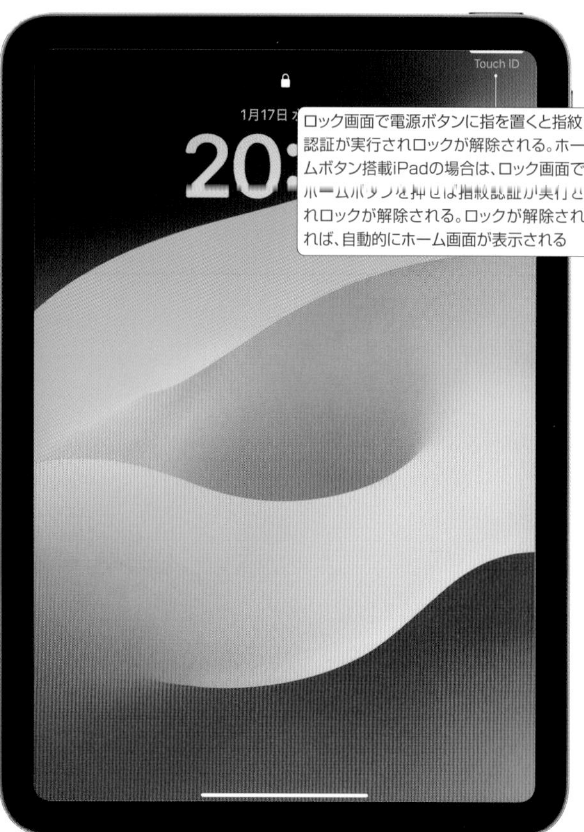
Touch ID
ロック画面で電源ボタンに指を置くと指紋認証が実行されロックが解除される。ホームボタン搭載iPadの場合は、ロック画面でホームボタンを押せば指紋認証が実行されロックが解除される。ロックが解除されれば、自動的にホーム画面が表示される

スリープを解除するとこのようなロック画面が表示される。電源ボタンに指を置いたりホームボタンを押せば、内蔵されているTouch IDセンサーで指紋認証が実行されロックが解除される。

顔認証（Face ID）でロックを解除する

12月26日 火曜日
ロック画面を正面から見ると、顔認証でロックが解除される。ロックアイコンが開錠状態になっていれば、画面下部から上へスワイプしてホーム画面を表示できる

スリープを解除するとこのようなロック画面が表示される。正面からiPadを見ることで顔認証が実行され、ロックアイコン（鍵のアイコン）が開錠状態になる。これでロックが解除された。続けて画面下部から上へスワイプすればよい。

こんなときは？

指紋や顔が上手く認証されない場合は

指紋や顔が上手く認証されない場合は、パスコードでロック解除を行うこともできる。Touch IDやFace IDの設定時に指定したパスコードを入力しよう。

パスコード入力画面が表示されない場合は、画面下部から上へスワイプしてみよう。

指紋認証(Touch ID)を設定する

1 Touch IDとパスコードの設定画面を開く

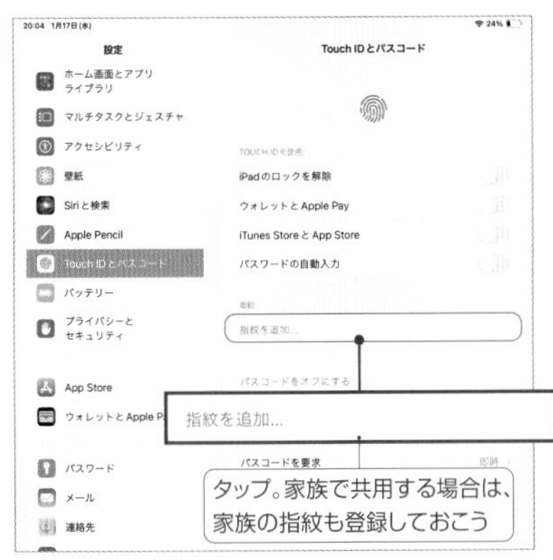

指紋を追加...
タップ。家族で共用する場合は、家族の指紋も登録しておこう

「設定」→「Touch IDとパスコード」を開き、「指紋を追加」をタップ。なお、指紋は複数登録できる(5つまで)。指紋登録後に再度この画面を開き、「指紋を追加」をタップして設定を繰り返そう。

2 センサーに指を置き指紋を登録する

指を置いてください
指を当てて離す動作を繰り返す

画面の指示に従い、電源ボタンやホームボタンに指を当てる、離すという動作を繰り返すとiPadに指紋が登録される。

3 パスコードを設定する

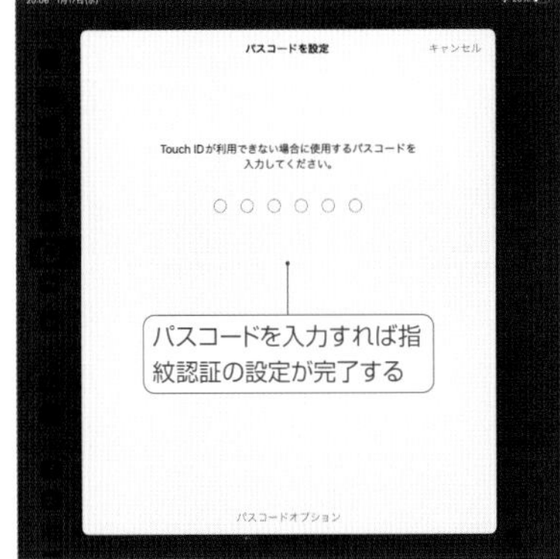

パスコードを設定
パスコードを入力すれば指紋認証の設定が完了する

最後にパスコード設定画面が表示されるので6桁の数字を入力。パスコードは忘れないようにしよう。その後、Apple IDのパスワードの入力を求められる場合もある。

顔認証(Face ID)を設定する

1 Face IDとパスコードの設定画面を開く

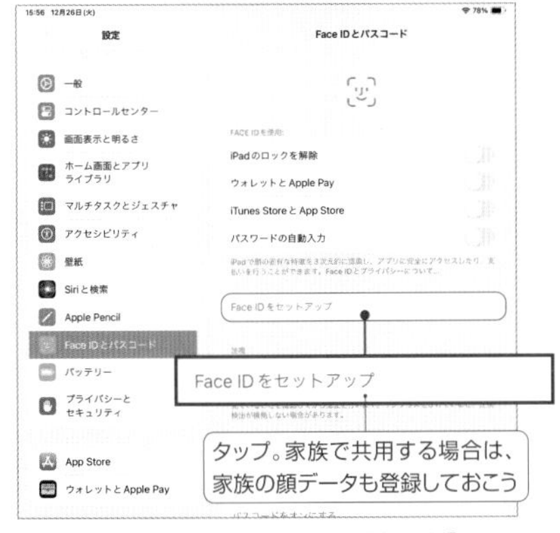

Face IDをセットアップ
タップ。家族で共用する場合は、家族の顔データも登録しておこう

「設定」→「Face IDとパスコード」を開き「Face IDをセットアップ」をタップする。顔データは、2人まで登録できる。設定完了後、この画面で「もう一つの容姿をセットアップ」で追加登録しよう。

2 顔データをスキャンする

枠内に顔を入れてスキャンする
Face IDの設定方法

画面の指示に従ってスキャンを開始する。iPadを正面から見て、顔を枠内に入れたままゆっくり回してスキャンを進めよう。

3 パスコードを設定する

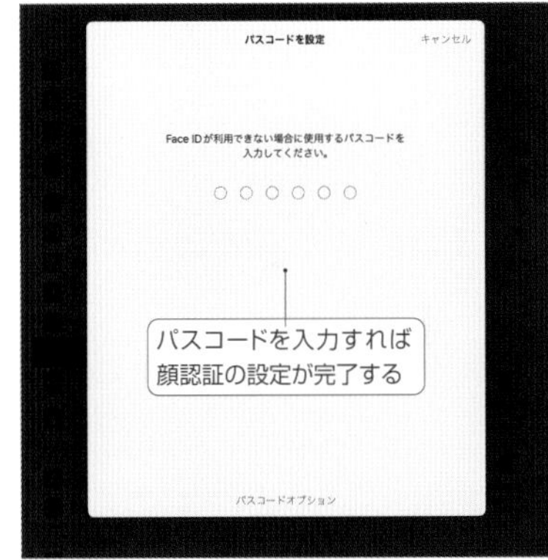

パスコードを設定
パスコードを入力すれば顔認証の設定が完了する

最後にパスコード設定画面が表示されるので6桁の数字を入力。パスコードは忘れないようにしよう。その後、Apple IDのパスワードの入力を求められる場合もある。

こんなときは?

指紋や顔のデータを削除したい場合は

登録した指紋や顔のデータを削除したい場合は、「設定」→「Touch ID(Face ID)とパスコード」で操作を行う。複数のデータを登録している場合、指紋はひとつずつ削除が可能だが、顔データは2つ同時に削除することしかできない。

指紋を削除
タップ

指紋認証の場合、「指紋1」や「指紋2」をタップし、次の画面で「指紋を削除」をタップすれば個別に指紋データを削除できる。

顔認証の場合、「Face IDをリセット」をタップすれば顔データが削除される。

Face IDをリセット
タップ

基本

004 ホーム画面の仕組みを覚えよう

（本体操作）

操作の出発点となる基本画面を理解しよう

iPadの電源をオンにしたりスリープを解除して点灯した後、ロックを解除すると「ホーム画面」が表示される。ホーム画面はiPadの操作の出発点となる基本画面だ。ホーム画面には、iPadにインストールされているアプリが並んでおり、タップして起動できる。ホーム画面は複数の画面で構成されており、左にスワイプすれば次のページを表示可能。アプリが増えたら、さらにページが追加される。ホーム画面には、アプリの他に「ステータスバー」や「ドック」、「ウィジェット」といった要素もあり、さらに画面をスワイプして各種機能の画面を表示させることもできる。ここでひと通り覚えておこう。

複数のページを切り替えられるホーム画面の仕組み

左右にスワイプしてページを切り替える
ホーム画面にはアプリが配置されている。タップして起動し、利用しよう。また、アプリの他にパネル型のツール「ウィジェット」も配置されている（No029で解説）。アプリやウィジェットは追加や削除、移動なども行える。後のページで解説しているのでチェックしよう

ロック画面でロックを解除すれば、ホーム画面が表示されてiPadを使い始めることができる。ホーム画面にはあらかじめアプリやウィジェットが配置されているが、自由に追加や削除、位置の変更が可能だ。

画面を左にスワイプすると次のページを表示

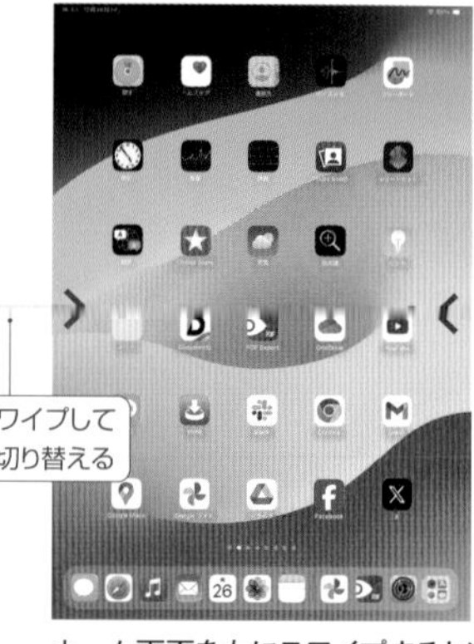

ホーム画面を左にスワイプすると次のページが表示される。右にスワイプすれば前のページに戻ることができる。アプリを増やしてスペースがなくなると、ページが増えていく仕組みだ。なお、画面一番下の「ドック」（右ページで解説）は、ページを切り替えても固定されたままだ。

一番右のページの「アプリライブラリ」

ホーム画面の一番右のページは、iPadにあるすべてのアプリを管理する「アプリライブラリ」という画面になる。すべてのアプリがジャンル別に整理された画面で、見つからないアプリを検索することもできる。また、ホーム画面からアプリを一時的に削除しつつも、アプリライブラリには保管しておくといった使い方ができる（No018で解説）。

操作のヒント

ホーム画面にはいつでもすぐに戻ることができる

ホーム画面にはどんな画面からも右の操作ですぐに戻ってこられる。アプリを使い終わったときも、この操作でホーム画面に戻るだけでよい。また、ホーム画面でページを切り替えている際も、同じ操作で1ページ目の画面に戻ることが可能だ。

ホームボタンのないiPadでは、画面下部から上へスワイプするとホーム画面に戻る

ホームボタンのあるiPadでは、ホームボタンを押せばホーム画面に戻る

ホーム画面に表示される各種機能

アイコンで情報を表示するステータスバー

iPadの画面上部で時刻やバッテリー残量、Wi-Fiの強度などを表示するエリアを「ステータスバー」と呼ぶ。iPadの状態や、現在実行中の機能をアイコンで表示してくれる。ステータスバーに表示される主なアイコンも覚えておこう。

Wi-Fiの電波状況

アラーム設定中

機内モードがオン

画面の向きをロック中

位置情報サービス利用中

イヤホン接続中

17:21　12月26日(火)　63%

「通知センター」が表示される

17:24
画面下部から上へ
スワイプして閉じる

ホーム画面の左上から下方向へスワイプすると「通知センター」が表示される。メールやSNSアプリなどの新着情報をはじめとする「通知」をまとめて確認できる画面だ。詳しくはNo033で解説している。

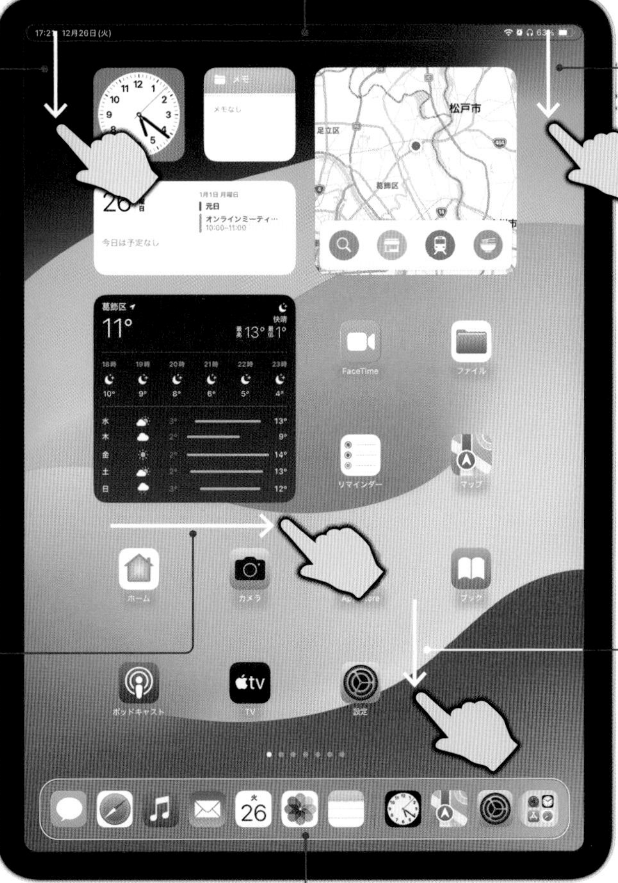

「コントロールセンター」が表示される

何もないエリアと
タップして閉じる

ホーム画面の右上から下方向へスワイプすると「コントロールセンター」が表示される。Wi-Fiの接続／切断や画面の明るさ調整など、各種機能に素早くアクセスできるツールだ。詳しくはNo005で解説。

「今日の表示」画面が表示される

何もないエリアと
タップして閉じる

ホーム画面を右へスワイプするとウィジェットだけをまとめた「今日の表示」画面が表示される。ウィジェットはホーム画面にも配置できるが、この画面でまとめて確認することも可能だ。詳しくはNo030で解説。

画面下部には「ドック」が表示

画面下部の「ドック」は、ページを切り替えても固定されたまま表示されるエリアで、最もよく使うアプリを追加しておくと便利。また、ドックの右エリアには最近使用したアプリやアプリライブラリを表示するアイコンが用意されている。詳しくはNo008で解説している。

検索機能の画面が表示される

検索画面の外を
タップして閉じる

ホーム画面の適当な箇所を下へスワイプすると検索画面が表示される。キーワードを入力してiPad内のアプリや登録している連絡先、メールを探すといったことを行える。詳しくはNo035で解説。

こんなときは?

はじめから配置されているウィジェットが邪魔なら

ホーム画面には、はじめから天気や時計などいくつかのウィジェットが配置されている。使わないので邪魔な場合は、削除してしまおう。ウィジェットの操作はNo029で詳しく解説しているが、ここでは削除の方法だけ紹介する。なお、削除したウィジェットも後から再度表示させることができる。

ウィジェットを編集
ホーム画面を編集
ウィジェットを削除

削除したいウィジェットをロングタップし、表示されたメニューで「ウィジェットを削除」や「スタックを削除」をタップすればよい

基本

005

(本体操作)

各種機能のオン／オフを素早く行う

コントロールセンターの使い方を覚えよう

画面の右上から下へスワイプするといくつかのボタンが並んだ画面が表示される。これは、よく使う機能や設定を素早く利用するための画面で、「コントロールセンター」という。ホーム画面はもちろん、ロック画面やアプリを利用中の画面でも引き出して表示させることができる。この画面を表示すれば、いちいち「設定」で項目を探さなくてもWi-FiやBluetoothの接続や切断、機内モードのオン／オフ、画面の向きのロックなどを簡単に変更できる。特に画面の明るさ調整や画面の向きのロックはよく使うので、コントロールセンターで手早く変更できることを覚えておこう。

コントロールセンターの表示方法と機能一覧

画面右上から下へスワイプする

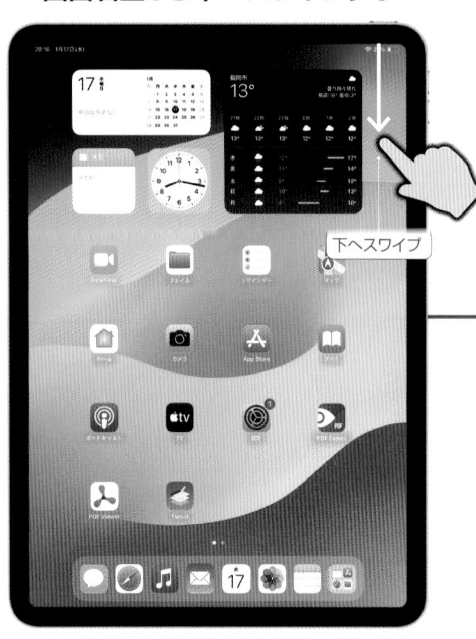
下へスワイプ

ホーム画面、ロック画面、アプリ利用中のどの画面でも、右上から下へスワイプすると表示できる。

22%
1
2
3
4
5
6

一番下のエリアのボタンは、機種によって異なることがある。また、「設定」→「コントロールセンター」で表示するボタンを変更することもできる

コントロールセンターの機能

1 左上から時計回りに「機内モード」「AirDrop」「Bluetooth」「Wi-Fi」のボタン。ボタンをタップすれば機能のオン／オフを切り替えられる。Wi-Fiは現在の接続先との接続／切断を行える。なお、Wi-Fi + CellularモデルのiPadの場合は、「AirDrop」の項目が「モバイルデータ通信」となる。

2 ミュージックアプリの再生、停止、曲送り、曲戻しの操作を行える。

3 左は「画面の向きのロック」ボタンで、オンにすれば現在の向き（縦か横か）に画面が固定される。右は「画面ミラーリング」ボタンで、画面のテレビ出力の際などに利用する。

4 シーンに合わせて一時的に通知や着信を停止できる、「集中モード」のオン／オフを切り替えるボタン。

5 左は「画面の明るさ調整」。右が「音量調整」で音楽や動画再生の音量を調整できる。

6 左から「消音モード」「ステージマネージャ」「メモ」「カメラ」「コードスキャナー」。消音モードをオンにすれば通知音や着信音を消音できる。ステージマネージャは一部iPadで使えるマルチタスク機能。メモはメモアプリの「クイックメモ」機能を利用。カメラでカメラアプリを起動し、コードスキャナーはQRコード読み取り機能を起動する。なお、機種によって表示されるボタンが異なることがある。

基本

006 iPadを使うことは「アプリ」を使うということ アプリを使う上で知っておくべき基礎知識

（本体操作）

iPadのさまざまな機能は、多くの「アプリ」によって提供されている。この「アプリ」とは、iPadで動作するプログラムのこと。例えば、メール送受信したいときは「メール」アプリを使い、写真を撮りたいときは「カメラ」アプリを使う。iPadには、はじめから基本的なアプリが入っており、すぐに使い始めることができる。カメラやメモなどは、何の準備もなくすぐに利用可能だ。また、X（旧Twitter）や乗換案内、ノートなど多種多様なアプリをiPadに追加（インストール）することもできる。アプリを追加したいときは、はじめから入っている「App Store」アプリで入手しよう（No014およびNo015で解説）。

iPadで利用するさまざまな機能はアプリで実行する

1 最初から用意されている標準アプリを使う

ドックには、左からメッセージ、Safari、ミュージック、メール、カレンダー、写真、メモが用意されている

iPadのほとんどの機能は「アプリ」で提供される。初期状態でもいくつかの「標準アプリ」がインストールされている。Safariやカメラ、マップは特に準備や設定も必要ないので、タップして使ってみよう。

2 目的のアプリをタップして起動させよう

マップ
マップアプリを起動して地図を表示

iPadの機能はアプリごとに細分化されている。用途や目的ごとに起動するアプリを切り替えて利用しよう。例えば、地図を見たい場合は「マップ」アプリを起動すればよい。

3 アプリはApp Storeで入手できる

App Store
App Storeアプリでのアプリ入手方法は、No014およびNo015で解説している
定番のアプリ
人気のアプリ
2023年 無料アプリランキング

「App Store」からは、多種多様なアプリを入手できる。App Storeでは膨大なアプリが配信されているので、目的なく覗いてみても何かしら使ってみたいアプリが見つかるはずだ。

操作のヒント

インストールしたアプリはホーム画面に自動で追加される

App Storeからアプリをインストールすると、iPadのホーム画面の空いているスペースにアプリが追加される。追加されたアプリは、はじめから用意されている標準アプリと同じように扱える。ダウンロードが完了したら、タップしてすぐに使い始めよう。なお、ホーム画面に空きスペースがない場合は、新しいページが自動で追加されていく。

読み込み中...
App Storeからアプリをダウンロード中

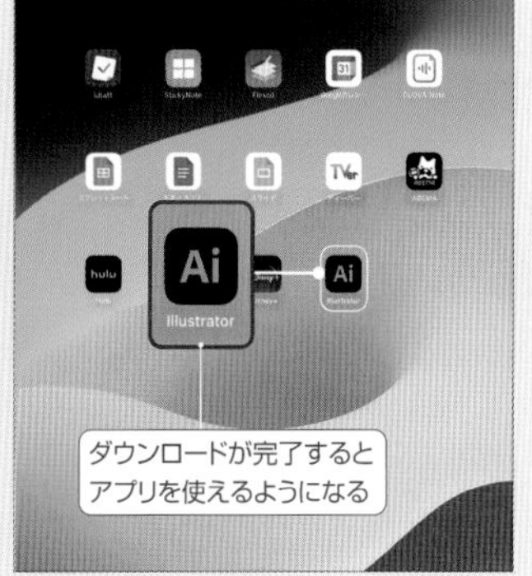
Ai
Illustrator
ダウンロードが完了するとアプリを使えるようになる

基本

007 Wi-Fiに接続する

パスワードを入力して接続しよう

本体設定

初期設定の際に自宅のWi-Fiに接続していない場合や、友人宅などでWi-Fiに接続したい際は、まずWi-Fiルータのネットワーク名(SSID)と接続パスワード(暗号化キー)を確認しよう。続けて、iPadの「設定」→「Wi-Fi」をタップし、「Wi-Fi」のスイッチをオン。周辺のWi-Fiネットワークが表示されるので、確認したネットワーク名をタップし、パスワードを入力すれば接続できる。一度接続したWi-Fiネットワークには、今後は接続できる距離にいれば自動で接続する。なおWi-Fiルータは、「5GHz」と「2.4GHz」の2つの周波数帯に接続できる場合が多いが、基本的には5GHzに接続したほうが安定して高速に通信できる。

1 ネットワーク名とパスワードを確認

Wi-Fiのネットワーク名。2つ記載されている場合は、基本的には「5GHz」と記載されている方に接続すればよいが、通信が安定しないなら「2.4GHz」のほうに接続してみよう
MACアドレス WAN
ネットワーク名(SSID)
Web PW
プライマリSSID(2.4GHz) aterm-482f4b-g
プライマリSSID(5GHz) aterm-482f4b-a
暗号化キー(※)
※Wi-Fi接続するためのパスワード
※暗号化キー初期値は0～9、a～fを使用
Wi-Fiに接続するためのパスワード
製品に関するお問い合わせ(通話料有料)
0570-550777 または 04-7185-4761
NECプラットフォームズ株式会社
Made in China

Wi-Fiルータの側面などを見ると、このルータに接続するためのネットワーク名とパスワードが記載されている。まずはこの情報を確認しておこう。

2 設定の「Wi-Fi」で接続する

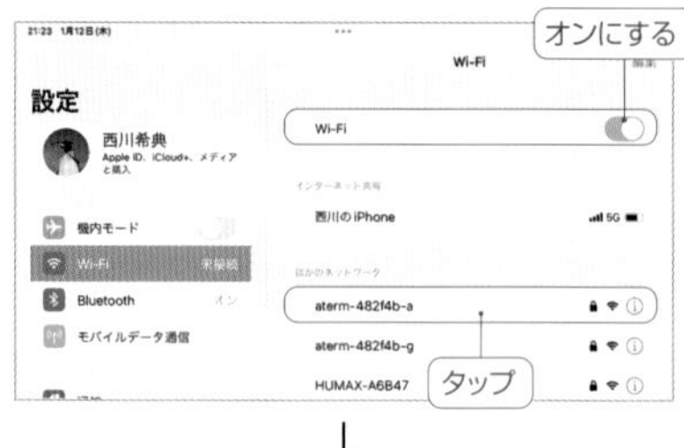
オンにする
設定
Wi-Fi
Bluetooth
aterm-482f4b-a
aterm-482f4b-g
HUMAX-A6B47
タップ

設定
パスワードを入力
パスワード

iPadの「設定」→「Wi-Fi」をタップし、接続するネットワーク名をタップ。続けてパスワードを入力し「接続」をタップすれば、Wi-Fiに接続できる。

基本

008 ドックの使い方を覚えよう

アプリ使用中でも呼び出せる

本体操作

ホーム画面のどのページに切り替えても、画面下部に常に表示されるアプリの格納エリアを「ドック」と言う。アプリを利用中でも、画面の最下部を上にスワイプして表示させることが可能だ。ドックのアプリは自由に入れ替えできるので、自分が一番よく使うアプリやフォルダを配置して、いつでも素早く起動できるようにしておこう。なお、ドックの左側は自分でお気に入りのアプリを配置できるエリアだが、右側の3つは最近使ったアプリや、iPhoneまたはMacで開いているアプリが自動的に表示される。また一番右端の小さなアプリが4つ表示されているアイコンは、タップするとアプリライブラリ(No018で解説)を開くことができる。

1 ドックによく使うアプリを配置する

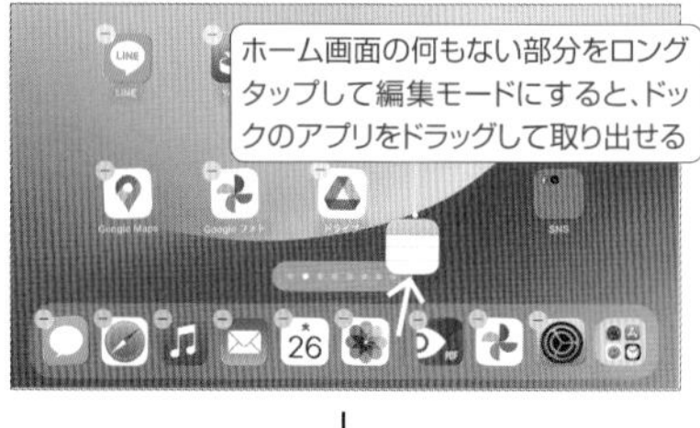
ホーム画面の何もない部分をロングタップして編集モードにすると、ドックのアプリをドラッグして取り出せる

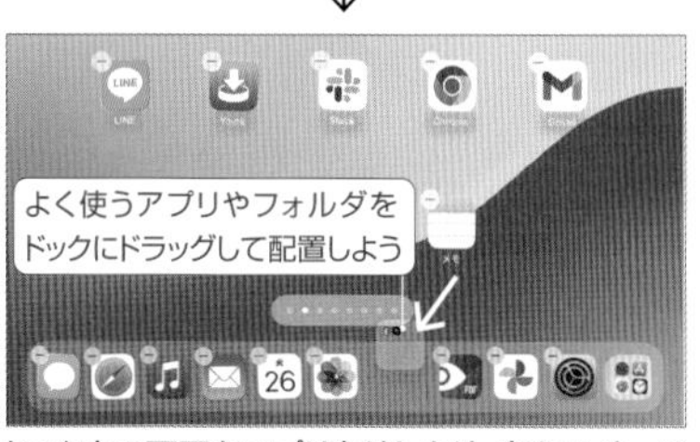
よく使うアプリやフォルダをドックにドラッグして配置しよう

ドック内の不要なアプリを外したり、空きスペースに自分がよく使うアプリやフォルダを入れて使いやすいように整理しよう。

2 アプリ使用中でもドックを呼び出せる

Apple Watch Series 9
WATCH
画面の最下部を上にスワイプする

アプリを起動しているときでも、画面の最下部を上にスワイプするとドックが表示され、よく使うアプリを素早く起動できる。

基本

009

本体操作

アプリを使うときに必須の基本操作
アプリを起動／終了する

iPadにインストールされているアプリを起動するには、ホーム画面に並んでいるアプリをタップすればいい。即座にアプリが起動し、それぞれの操作画面が表示される。アプリを終了するには、画面の最下部を上にスワイプするかホームボタンを押して、ホーム画面に戻るだけでいい（No004で解説）。ただし、ミュージックやマップなどの一部アプリは、ホーム画面に戻ってもバックグラウンドで動き続けることがある。また多くのアプリは、終了したあとに再度タップして起動すると、終了した時点の画面から操作を再開できる。パソコンのように、アプリ終了前にデータを保存したり、いちいち終了の操作を行う必要はない。

1 ホーム画面からアプリを起動する

タップしたアプリが起動する

アプリを起動したいときは、ホーム画面にあるアプリをタップしよう。これでアプリが起動する。

2 起動したアプリを終了する

以前に起動したアプリの場合は、前回終了した画面から利用できる
画面の最下部を上にスワイプするかホームボタンを押して、ホーム画面に戻ればアプリの画面が閉じる

アプリが起動して、そのアプリの機能を利用できる。アプリを終了するにはホーム画面に戻ればよい。

基本

010

本体操作

使いやすいようにアプリを並べ替えよう
アプリの配置を変更する

ホーム画面に並んでいるアプリは、自由な場所に移動させることができる。まず、ホーム画面の空いたスペースをロングタップしてみよう。するとアプリが振動し、ホーム画面の編集モードになる。この状態でアプリをドラッグすると、自由な位置に動かすことが可能だ。また、アプリを画面の左右端まで持っていくと、前のページや次のページに移動させることもできる。編集モードを終了するには、画面の最下部を上にスワイプするか、ホームボタンのあるiPadはホームボタンを押せばよい。または、右上の「完了」ボタンをタップしてもいい。よく利用するアプリは、なるべくホーム画面の1ページ目や2ページ目にまとめて配置しておこう。

1 ホーム画面を編集モードにする

ホーム画面の何もない部分をロングタップ

ホーム画面の何もない部分をロングタップすると、アプリが振動し始めてホーム画面の編集モードになる。

2 ドラッグしてアプリを移動

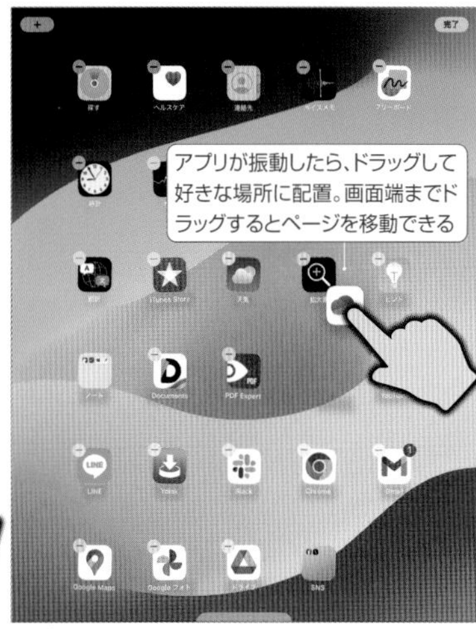
完了
アプリが振動したら、ドラッグして好きな場所に配置。画面端までドラッグするとページを移動できる

アプリをドラッグして好きな場所に移動させよう。画面の最下部を上にスワイプするかホームボタンを押すと編集モードが終了する。

基本

011 アプリを他のアプリに重ねるだけ 複数のアプリをフォルダにまとめる

本体操作

アプリが増えてきたら、フォルダで整理しておくのがおすすめだ。「ゲーム」や「SNS」といったフォルダを作成してアプリを振り分けておけば、何のアプリが入っているかひと目で分かるし、目的のアプリを見つけるまでのページ切り替えも少なくて済む。フォルダはドックにも配置できるので(No008で解説)、よく使うアプリをフォルダにまとめてドックから素早く起動する使い方も便利だ。フォルダを作成する方法は簡単で、No010の手順でホーム画面を編集モードにしたら、アプリをドラッグして他のアプリに重ね合わせるだけ。フォルダから取り出すときは、ホーム画面を編集モードにして、アプリをフォルダの外にドラッグすればよい。

1 アプリを他のアプリに重ねる

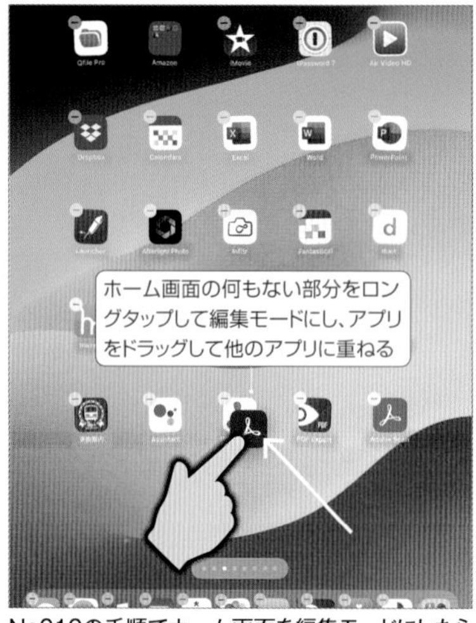
ホーム画面の何もない部分をロングタップして編集モードにし、アプリをドラッグして他のアプリに重ねる

No010の手順でホーム画面を編集モードにしたら、アプリをドラッグして他のアプリに重ねよう。フォルダが作成され、重ねた2つのアプリが配置される。

2 フォルダから取り出す時は

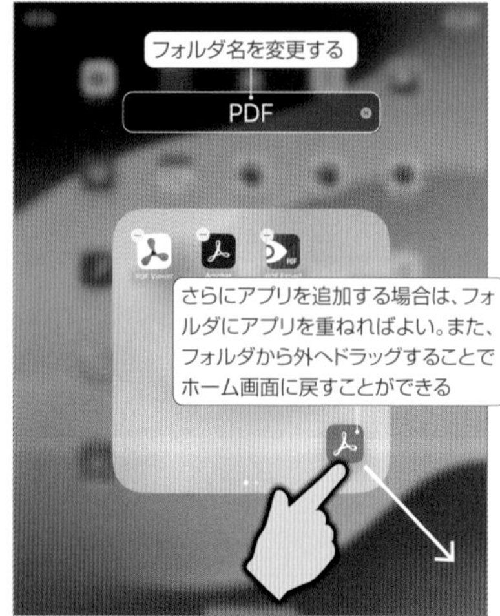
フォルダ名を変更する
PDF
さらにアプリを追加する場合は、フォルダにアプリを重ねればよい。また、フォルダから外へドラッグすることでホーム画面に戻すことができる

フォルダ内のアプリをホーム画面に戻すには、ホーム画面の編集モードにしてフォルダを開き、アプリをフォルダ外にドラッグすればよい。

基本

012 レイアウト変更を効率的に 複数のアプリをまとめて移動させる方法

本体操作

No010で解説しているように、ホーム画面のアプリは自由に動かせるが、複数のアプリを別のページに移動したいときにひとつずつ移動するのは手間がかかる。そこで、複数のアプリをまとめて扱える操作方法を覚えておこう。まず、ホーム画面の空いたスペースをロングタップして編集モードにし、移動したいアプリをドラッグして少し動かす。動かしたアプリはそのまま指を離さずに、別の指で他のアプリをタップしてみよう。するとアプリがひとつに集まり、まとめて動かせるようになる。さらに他のアプリをタップすると、まとめて動かすアプリを追加できる。なおこの操作は、写真やファイルアプリで複数選択するときにも使える。

1 アプリをドラッグして少し動かす

ホーム画面の編集モードで、アプリをドラッグして少し動かす

No010の手順でホーム画面を編集モードにしたら、アプリをドラッグして少しだけ動かし、そのまま指を離さずキープする。

2 他のアプリを選択しまとめて動かす

最初にドラッグしたアプリの指は離さない
別の指で、まとめて動かしたいアプリをタップして追加していく

別の指を使って他のアプリをタップしていくと、アプリが1箇所に集まって、まとめて移動できるようになる。

基本

013

本体設定

アプリの入手やiCloudの利用に必ず必要

Apple IDを取得する

「Apple ID」とは、iPadのさまざまな機能やサービスを利用する上で必須となる重要なアカウントだ。App Storeでアプリをインストールしたり、iTunes Storeでコンテンツを購入したり、iCloudでiPadのバックアップを作成するには、すべてApple IDが必要となる。まだ持っていないなら、必ず作成しておこう。なお、Apple IDはユーザー1人につきひとつあればいいので、以前iPadを使っていたり、iPhoneなど他のAppleデバイスをすでに持っているなら、その端末のApple IDを使えばよい。以前購入したアプリは、同じApple IDでサインインしたiPadでも無料で利用できる。

Apple IDを新規作成する手順

1 設定アプリの一番上をタップ

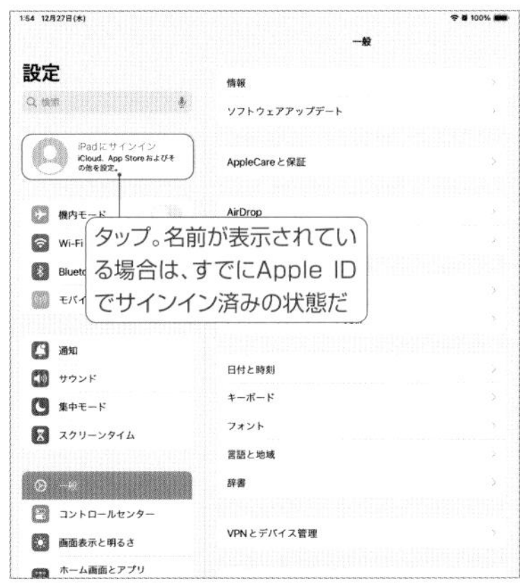
タップ。名前が表示されている場合は、すでにApple IDでサインイン済みの状態だ

「設定」アプリを起動して、一番上に「iPadにサインイン」と表示されるなら、まだApple IDでサインインを済ませていない状態だ。これをタップしよう。

2 Apple IDの新規作成画面を開く

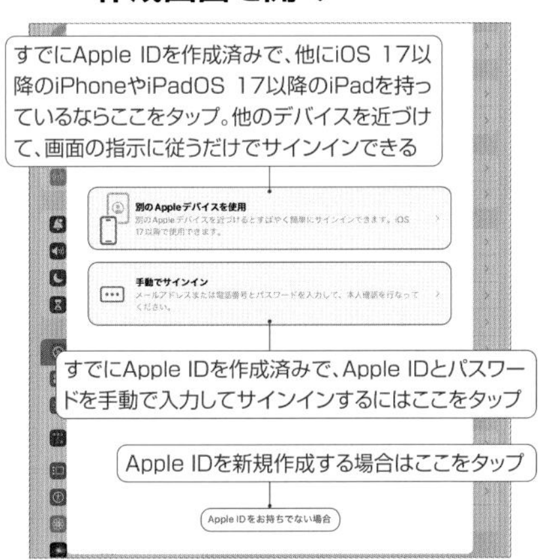
すでにApple IDを作成済みで、他にiOS 17以降のiPhoneやiPadOS 17以降のiPadを持っているならここをタップ。他のデバイスを近づけて、画面の指示に従うだけでサインインできる
すでにApple IDを作成済みで、Apple IDとパスワードを手動で入力してサインインするにはここをタップ
Apple IDを新規作成する場合はここをタップ

すでにApple IDを持っているなら、他のiPhoneやiPadを近づけるか、手動でIDを入力してサインインする。まだApple IDを持っていないなら、「Apple IDをお持ちでない場合」をタップ。

3 メールアドレスを入力する

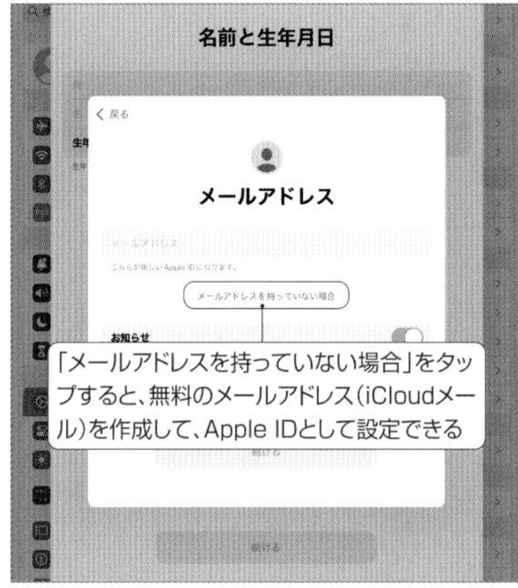
名前と生年月日
メールアドレス
「メールアドレスを持っていない場合」をタップすると、無料のメールアドレス(iCloudメール)を作成して、Apple IDとして設定できる

名前と生年月日を入力したら、普段使っているメールアドレスを入力しよう。このアドレスがApple IDになる。新しくメールアドレスを作成して、Apple IDにすることもできる。

4 パスワードを入力する

名前と生年月日
Apple IDパスワード
Apple IDのパスワードを設定

続けて、Apple IDのパスワードを設定する。パスワードは、数字/英文字の大文字と小文字を含んだ8文字以上で設定する必要がある。

5 認証用の電話番号を登録する

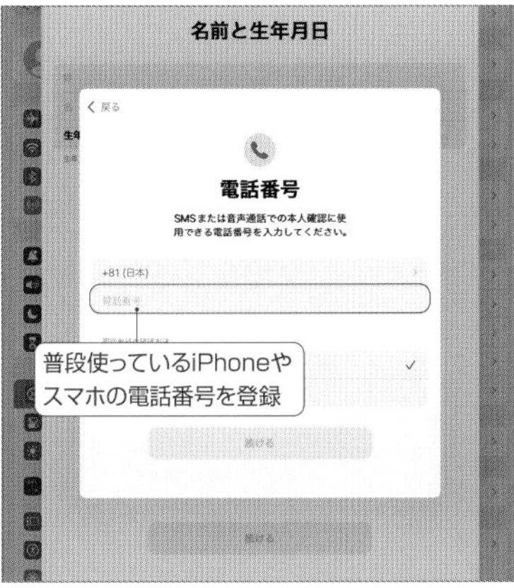
名前と生年月日
電話番号
普段使っているiPhoneやスマホの電話番号を登録

「電話番号」画面で、iPadの本人確認に使用するための電話番号を登録する。SMSなどで電話番号の確認を済ませたら、あとは利用規約の同意を済ませれば、Apple IDが作成される。

6 メールアドレスを確認して設定完了

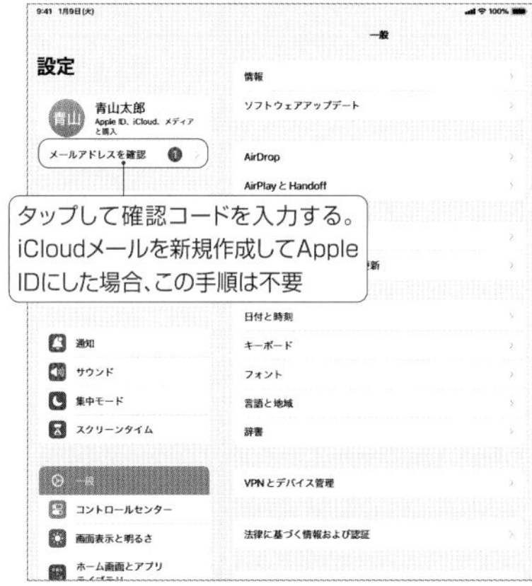
設定
タップして確認コードを入力する。iCloudメールを新規作成してApple IDにした場合、この手順は不要

「設定」画面上部の「メールアドレスを確認」をタップし、「メールアドレスを確認」をタップ。Apple IDに設定したアドレスに届く確認コードを入力すれば、Apple IDが使える状態になる。

基本

014 App Storeから無料アプリをインストールする

アプリ

さまざまな機能を備えたアプリを手に入れよう

iPadでは、標準でインストールされているアプリを使う以外にも、「App Store」アプリから、他社製のアプリをインストールして利用できる。App Storeには膨大な数のアプリが公開されており、漠然と探してもなかなか目的のアプリは見つからないので、「Today」「ゲーム」「アプリ」メニューやキーワード検索を使い分けて、欲しい機能を備えたアプリを見つけ出そう。なお、App Storeの利用にはApple ID(No013で解説)が必要なので、App Storeアプリの画面右上にあるユーザーボタンをタップしてサインインしておこう。また、有料アプリの購入には支払い方法の登録が必要だ(No015で解説)。

無料アプリをインストールする方法

1 App Storeでアプリを探す

下部のメニューを切り替えてアプリを探す。「検索」では、「LINE」などのアプリ名はもちろん、「カメラ」や「ノート」といったキーワードで検索できる。さらに「写真　加工」や「ノート　手書き」など、複数ワードで絞り込めば目的のアプリを見つけやすい

「App Store」アプリを起動し、下部の「Today」「ゲーム」「アプリ」「検索」画面からアプリを探そう。「Arcade」で配信されているゲームは、月額900円で遊び放題になる。

2 アプリの「入手」ボタンをタップ

入手
タップしてインストール開始。モバイルデータ通信でもインストールできるが、サイズの大きいアプリの場合はWi-Fi接続を推奨するメッセージが表示される

欲しいアプリが見つかったら、詳細画面を開いて、内容や評価を確認しよう。無料アプリの場合は「入手」ボタンが表示されるので、これをタップすればインストールできる

3 認証を済ませてインストール

App Store
顔認証や指紋認証を使いたい場合は、下の記事を参考に設定しておこう。顔認証の場合は、「入手」タップ後に電源ボタンを2回連続で押してからiPadに視線を向ける。指紋認証の場合は、「入手」タップ後に電源ボタンまたはホームボタンに指を当てよう。認証が完了すればインストールが開始される

アプリのインストールには、本人の認証が必要。Apple IDのパスワードを入力するか、Face IDやTouch IDで認証を行う。画面の指示に従って認証を済ませると、インストールが開始される。インストールが完了すると、ホーム画面にアプリが追加されているはずだ。

設定ポイント

アプリの入手を顔や指紋で認証する

App Storeからアプリを入手するにはApple IDのパスワード入力が必要だが、Face IDやTouch IDを使って認証する設定にしておけば、顔認証や指紋認証で簡単にインストールできるようになる。有料アプリの購入やアプリ内課金の際も、同様にFace IDやTouch IDで処理できる。iPadの「設定」→「Face(Touch)IDとパスコード」で「iTunes StoreとApp Store」のスイッチをオンにしておこう。

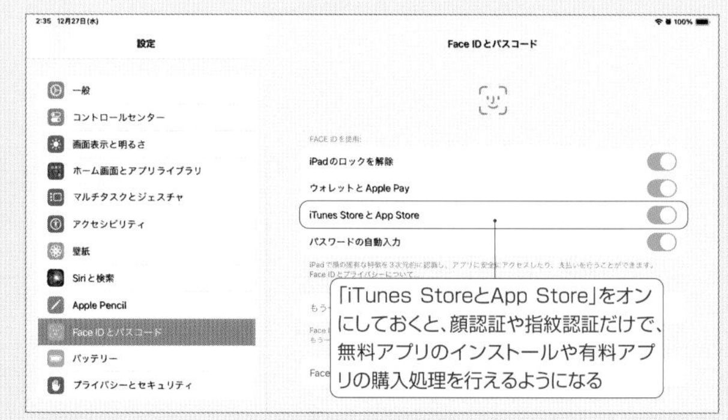

設定
Face IDとパスコード
iTunes Store と App Store
「iTunes StoreとApp Store」をオンにしておくと、顔認証や指紋認証だけで、無料アプリのインストールや有料アプリの購入処理を行えるようになる

基本

015 支払い情報の登録が必要 App Storeから有料アプリをインストールする

(アプリ)

App Storeで有料アプリを購入するには、アプリの価格表示ボタンをタップすればよい。支払い情報を登録していない場合は、インストール時に表示される画面の指示に従い、登録を済ませよう。支払方法としては「クレジットカード」のほかに、通信会社への支払いに合算する「キャリア決済」や、QRコード決済の「PayPay」、コンビニなどで購入できるプリペイドカード「Apple Gift Card」が利用可能だ(No016で解説)。一度購入したアプリはApple IDに履歴が残るので、iPadからアプリを削除しても無料で再インストールできるほか、同じApple IDを使う別のiPadやiPhoneにもインストールできる。

有料アプリを購入してインストールする方法

1 アプリの価格ボタンをタップ

VizRef
¥600
タップ
QUICKLY REFERENCE
評価とレビュー
4.4

有料アプリの場合は、インストールボタンが「入手」ではなく価格表示になっている。これをタップして、無料アプリの時と同様にインストールを進めればよい。

2 認証を済ませて購入する

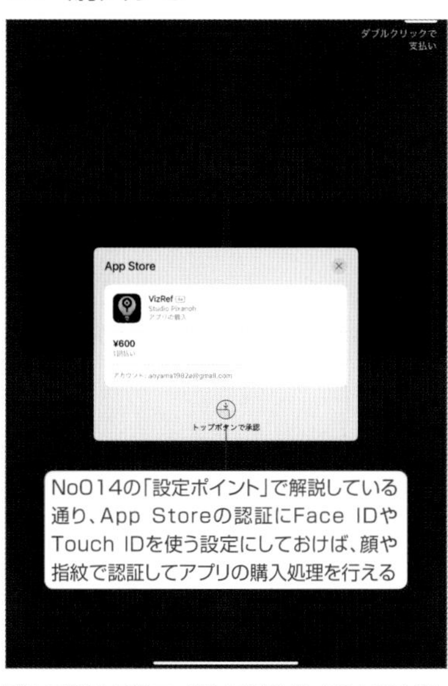
App Store
VizRef
¥600
No014の「設定ポイント」で解説している通り、App Storeの認証にFace IDやTouch IDを使う設定にしておけば、顔や指紋で認証してアプリの購入処理を行える

購入手順は無料アプリと同じだが、あらかじめクレジットカードなどで支払い情報を登録しておく必要がある。画面の指示に従って認証を済ませると、購入が完了しインストールが開始される。

3 新払い情報が未登録の場合

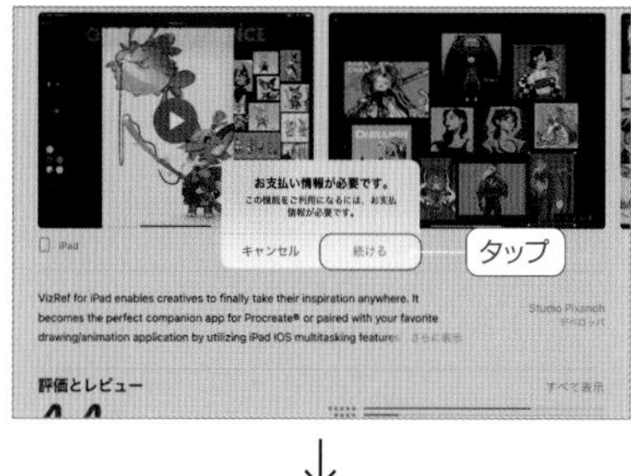
お支払い情報が必要です。
キャンセル
続ける
タップ
評価とレビュー

↓

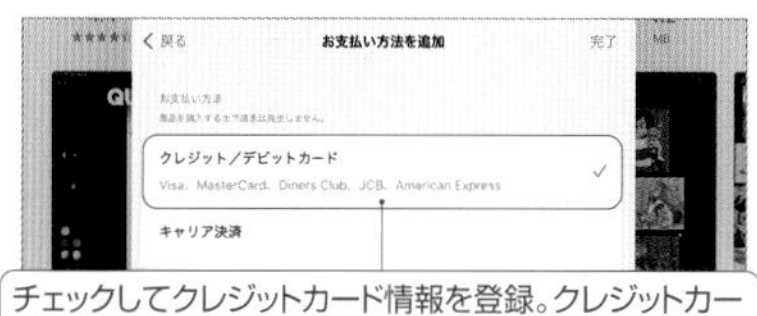
お支払い方法を追加
クレジット/デビットカード
キャリア決済
チェックしてクレジットカード情報を登録。クレジットカード以外の支払い方法については、No016で解説する

支払い情報がないとこの画面が表示されるので、「続ける」をタップ。「クレジット/デビットカード」にチェックして、カード情報を登録すれば、有料アプリを購入できるようになる。

こんなときは?

有料アプリの評価を判断するコツ

有料で購入するからには良いアプリを選びたいもの。5段階の星評価とレビューを確認してから選ぼう。「評価とレビュー」欄の「すべての表示」をタップすると、他のユーザーが投稿した評価とレビューをチェックできる。最近は、サクラレビューや同業他社による低評価が蔓延しており、あまり当てにならないことも多いが、アプリの内容や使い勝手にしっかり触れたレビューは参考になる。

Tayasui Sketches Pro
1071件の評価
4.3
評価件数が多く、かつ星の数が高いものが人気のアプリだ
評価とレビュー

「すべての表示」をタップして、他のユーザーのレビューも確認しておこう。不自然な日本語や感想だけの高評価レビューでなく、アプリ内容に触れたレビューを参考にしよう

基本

016

本体設定

キャリア決済やPayPay、ギフトカードも使える

アプリ購入時の支払い方法を変更する

App Storeで有料アプリを購入する際は(No015で解説)、クレジットカードのほかに「キャリア決済」や「PayPay」、「Apple Gift Card」で支払うこともできる。キャリア決済はdocomoやau、SoftBankの月々の利用料と合算して支払う方法だ。ただし、iPadではなくiPhoneで通信プランを契約しており、同じApple IDでサインインしたiPhone側で支払い方法をキャリア決済に変更する必要がある。PayPayはQRコード決済サービスのひとつで、アカウントを連携させれば支払いが可能になる。ギフトカードはコンビニや家電量販店で購入できるプリペイドカードで、Apple IDに金額をチャージしてその残高から支払える。

1 キャリア決済やPayPayで支払う

キャリア決済はiPhoneでの設定が必要。iPhoneの「設定」で一番上のApple IDをタップし、「お支払いと配送先」→「お支払い方法を追加」→「キャリア決済」を選択したら「この携帯電話番号を使用する」にチェックしよう
キャリア決済
PayPay
PayPayの場合は、iPadの「設定」で一番上のApple IDをタップし、「お支払いと配送先」→「お支払い方法を追加」→「PayPay」を選択。「PayPayで認証」をタップし連携を済ませる

キャリア決済はiPhone側で設定を済ませることで、同じApple IDでサインインしたiPadでも使えるようになる。PayPayは認証を済ませればよい。

2 ギフトカードの金額をチャージする

App Store
Apple Music
TV+
iTunes
Arcade
カード裏面のコードを確認
X4FMR42ZQZ39QW3J

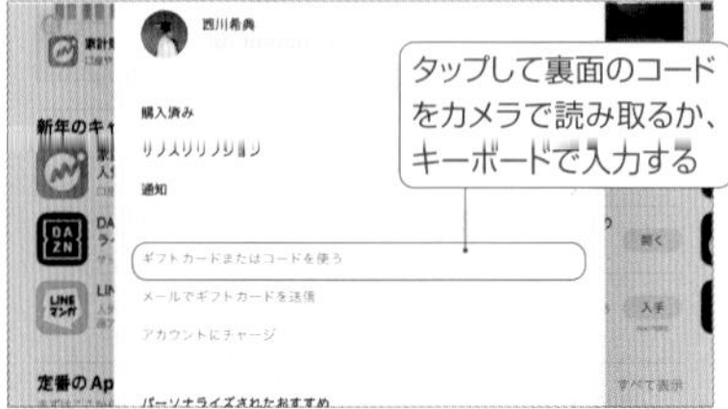
タップして裏面のコードをカメラで読み取るか、キーボードで入力する

ギフトカードを購入したら、App Storeアプリの画面右上にあるユーザーボタンをタップし、「ギフトカードまたはコードを使う」で金額をチャージしよう。

基本

017

本体操作

ホーム画面の不要なアプリを削除する

ホーム画面のアプリを削除、アンインストールする

ホーム画面に並んでいるアプリは、一部を除いて削除することが可能だ。まず、ホーム画面の空いたスペースをロングタップしよう。するとアプリが振動した状態になり、ホーム画面の編集モードになる。この時、各アプリの左上に表示される「ー」をタップし、続けて「アプリを削除」をタップすれば、そのアプリはホーム画面から削除され、iPad本体からもアンインストールされる。その際、アプリ内のデータも消えるので、大事なデータは別に保存しておくことも考えよう。なお、「アプリを削除」ではなく「ホーム画面から取り除く」を選択すると、アプリ自体は残したままでホーム画面からのみ取り除くこともできる(No018で解説)。

1 ホーム画面を編集モードにする

何もない部分をロングタップ

「ー」マークをタップ

ホーム画面の何もないスペースをロングタップすると編集モードになる。アプリが振動した状態になったら、削除したいアプリの左上にある「ー」をタップしよう。

2 「アプリを削除」をタップして削除する

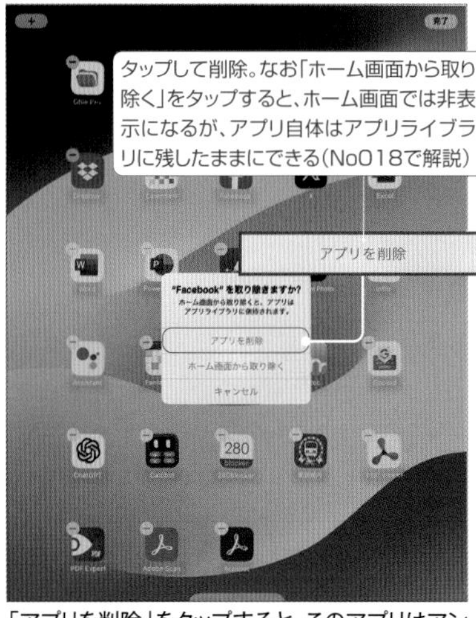
タップして削除。なお「ホーム画面から取り除く」をタップすると、ホーム画面では非表示になるが、アプリ自体はアプリライブラリに残したままにできる(No018で解説)
アプリを削除

「アプリを削除」をタップすると、このアプリはアンインストールされ、アプリ内のデータも消える。

基本

018 すべてのアプリが格納されるアプリライブラリ

本体操作

ホーム画面の整理に活用しよう

アプリが多すぎてホーム画面のどこに何があるのか分からなくなったら、普段使わないアプリはホーム画面から非表示にしておくのがおすすめだ。非表示にしても、ホーム画面の一番右のページを開くと表示される「アプリライブラリ」画面で、すべてのインストール済みアプリを確認できる。アプリはカテゴリ別に自動で分類されているほか、キーワード検索もできるので、アプリが必要になったらこの画面から探して起動すればよい。ホーム画面には、普段よく使うアプリだけを残してすっきり整理できる。なお、アプリライブラリで非表示にしたアプリをロングタップし、「ホーム画面に追加」をタップすれば、いつでもホーム画面に再表示できる。

1 ホーム画面のアプリを非表示にする

ホーム画面から取り除く
No017のアプリ削除手順で、「ホーム画面から取り除く」をタップすると、ホーム画面では非表示になるが、アプリ自体はアプリライブラリに残したままにできる

ホーム画面では、あまり使わないアプリは非表示にして、よく使うアプリだけを残しておこう。

2 アプリライブラリを表示する

アプリをキーワードで検索できる
小さく表示されたアプリをタップすると、そのカテゴリの全アプリを一覧表示できる
ホーム画面から取り除いたアプリをロングタップして「ホーム画面に追加」をタップすると再表示できる

ホーム画面を左にスワイプしていくと、一番右に「アプリライブラリ」が表示される。ここでiPad内の全アプリを確認できる。

基本

019 最近使用したアプリの履歴を表示する

本体操作

アプリスイッチャーで過去に使用したアプリを表示

画面の下部から上にスワイプし、真ん中あたりで指を止めると「アプリスイッチャー」画面が開く。ホームボタンのあるiPadでは、ホームボタンを2回連続で押して開くこともできる。この画面では、過去に起動したアプリの履歴が各アプリの画面と共に一覧表示される。アプリの画面一覧を左右にスワイプして、再度使用したいものをタップしよう。これにより、ホーム画面にいちいち戻ってアプリを探さなくても、素早く別のアプリに切り替えることが可能だ。なお、アプリ履歴の画面を上にスワイプすると、そのアプリを一度完全に終了させることができる。動作が不安定なアプリは、この方法で終了してから再起動してみよう(No097で解説)。

1 アプリスイッチャー画面を表示する

画面最下部から画面中央まで上にスワイプして指を離す。ホームボタンのあるiPadではホームボタンを2回連続で押してもよい

画面最下部から画面中央に向けてスワイプすると、アプリスイッチャー画面に切り替わり、以前使ったアプリが一覧表示される。

2 アプリスイッチャー画面での操作

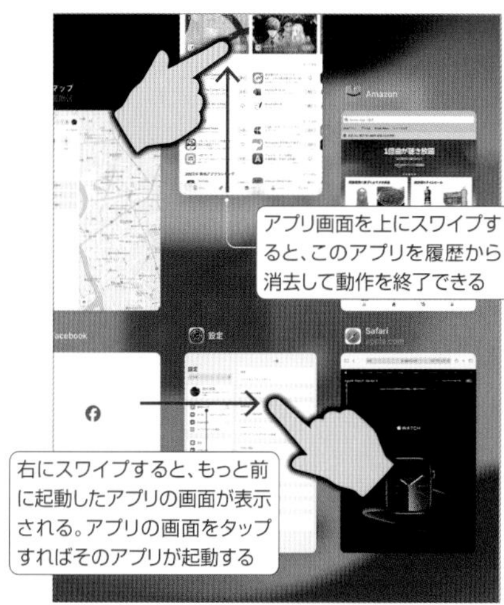

アプリ画面を上にスワイプすると、このアプリを履歴から消去して動作を終了できる
右にスワイプすると、もっと前に起動したアプリの画面が表示される。アプリの画面をタップすればそのアプリが起動する

履歴からアプリを選んで、タップして起動できる。また、画面を上へスワイプするとそのアプリは完全に終了し、履歴からも削除される。

基本

020

本体操作

各アプリから発生するサウンドの音量を変更する

音量ボタンで音楽や動画の音量を調整する

本体右側面や上部の音量ボタンでは、音楽や動画、ゲームなど各種アプリの音量(着信音や通知音以外の音量)を調整できる。音量ボタンを押すと、画面上部にバーが表示され、現在どのぐらいの音量かを確認できる。多くのiPadでは基本的に電源ボタンに近いほうが音量を上げるボタンだが、iPadのモデルや設定によっては、iPadの向きに応じて音量ボタンの上下が入れ替わる場合もある(No028で解説)。なお、ミュージックなどのアプリはアプリ内の音量調整スライダでも音量を変更できるほか、FaceTimeやLINEなど通話機能のあるアプリは通話中に音量ボタンを押すことで通話音量を調整することが可能だ。

1 音量ボタンで音量を調節する

音量ボタンを押した際は、画面上部のバーで現在の音量を確認できる
音量ボタンを操作すると、音量を調整できる

本体右側面や上部にある音量ボタンを押すと、音楽や動画などの再生音量を上げたり下げることができる。

2 アプリや通話中の音量調整

ミュージックアプリは、再生画面のスライダでも音量を調整できる

↓

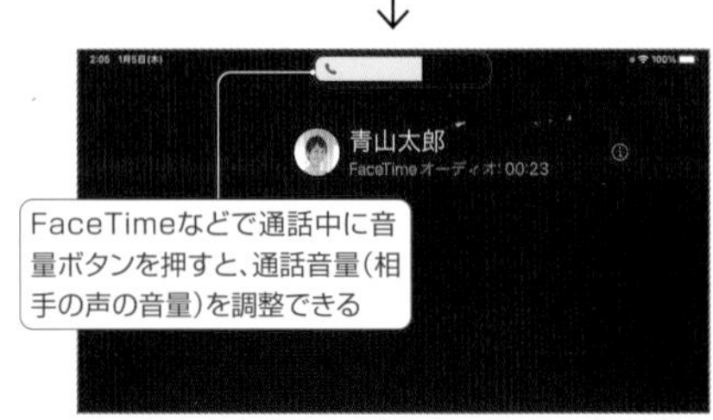
青山太郎
FaceTimeなどで通話中に音量ボタンを押すと、通話音量(相手の声の音量)を調整できる

ミュージックなどは、アプリの画面内に音量調整のスライダが用意されている。またFaceTimeなどでは音量ボタンで通話音量を変更できる。

基本

021

本体操作

電話やメール、各種通知音の音量を変更する

着信音や通知音の音量を調整する

FaceTimeの着信音やメールの通知音などは、好きな音量に変更可能だ。ただし、標準の設定では音量ボタンを押しても調整することはできない。着信音と通知音の音量は、「設定」→「サウンド」を開き、着信音と通知音のスライダを左右にドラッグして調整しよう。また、スライダの下にある「ボタンで変更」をオンにしておけば、音量ボタンでの調整も可能になる。これなら即座に着信音と通知音の音量を変えられるので、普段からオンにしておくのがオススメだ。ただし、音楽などの再生中に音量ボタンを押すと、メディアのボリューム調整が優先される。なお、通知音や着信音を消音したい場合は、消音モードを有効にしよう(No031で解説)。

1 通知音や着信音の音量を調整する

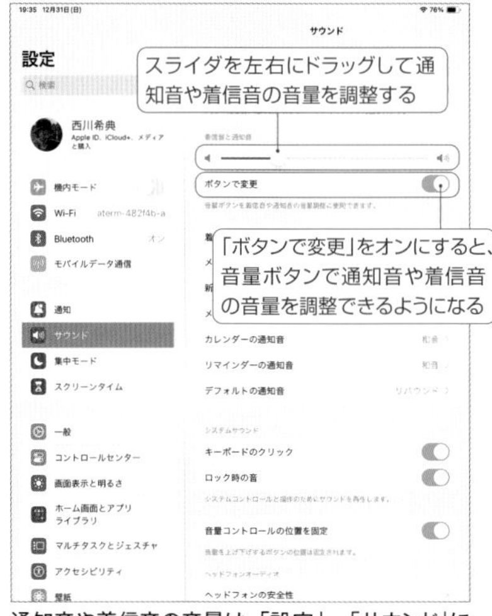
設定
サウンド
スライダを左右にドラッグして通知音や着信音の音量を調整する
「ボタンで変更」をオンにすると、音量ボタンで通知音や着信音の音量を調整できるようになる

通知音や着信音の音量は、「設定」→「サウンド」にあるスライダを左右にドラッグして調整できる。

2 通知音や着信音を音量ボタンで調整

何も音が鳴っていない状態で音量ボタンを操作すると、着信音と通知音の音量を調整できる。音楽や動画再生中は、そちらの音量調整が優先される

手順1の画面で「ボタンで変更」をオンにすると、音量ボタンで着信音と通知音の音量が調整可能になる。

基本

022

本体操作

3種類のキーボードを切り替えて入力しよう

状況に応じて必要なキーボードを表示する

iPadで文字入力が可能な画面内をタップすると、自動的に画面下部にソフトウェアキーボードが表示される。標準では「日本語-ローマ字入力」「英語（日本）」「絵文字」の3種類のキーボードが用意されており、「abc」キーをタップすると英字入力に、絵文字キーをタップすると絵文字キーボードに切り替わる。これら標準のキーボードが表示されなかったり、普段使わないキーボードが表示されて邪魔な場合は、No023の手順でキーボードを追加または削除することが可能だ。なお、標準のキーボード以外にキーボードを追加すると、絵文字キーが地球儀キーに変わり、これをタップすることでキーボードを順番に切り替えできる。

1 キーボードを切り替える

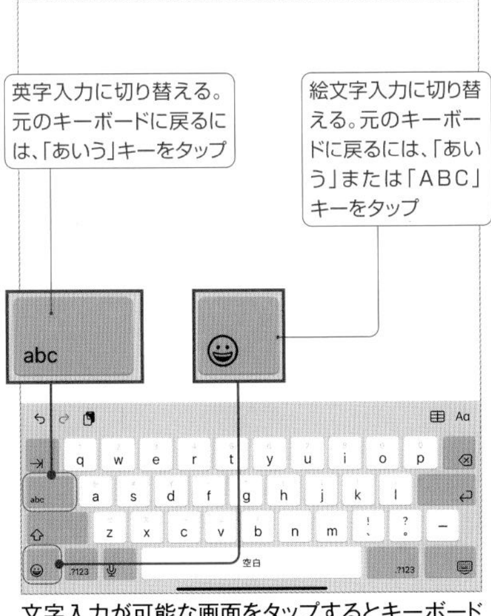

英字入力に切り替える。元のキーボードに戻るには、「あいう」キーをタップ
絵文字入力に切り替える。元のキーボードに戻るには、「あいう」または「ABC」キーをタップ
abc

文字入力が可能な画面をタップするとキーボードが表示される。「abc」キーで英字入力に、絵文字キーで絵文字入力に切り替えられる。

2 他のキーボードを追加している場合

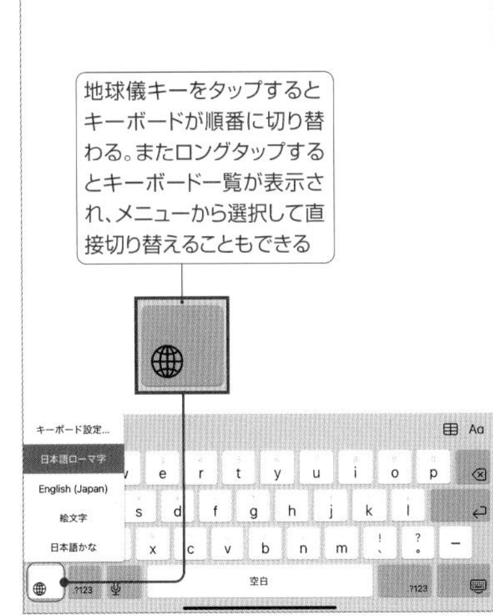

地球儀キーをタップするとキーボードが順番に切り替わる。またロングタップするとキーボード一覧が表示され、メニューから選択して直接切り替えることもできる

標準の3種類以外にキーボードを追加していると、絵文字キーが地球儀キーに変わる。この地球儀キーをタップすると、キーボードを順番に切り替えできる。

基本

023

本体設定

不要なキーボードは削除しておこう

iPadで使えるキーボードを追加、削除する

iPadは標準で3種類のキーボードを切り替えて文字入力できるが（No022で解説）、キー配列が五十音表の「日本語-かな入力」キーボードを使いたい場合は（No025で解説）、設定で追加しておこう。キーボード上の地球儀キーをタップすることで、追加した他のキーボードに切り替えできる。また、あまり使わないキーボードは、「編集」ボタンをタップして削除しておこう。キーボードの数が多いと切り替えに手間がかかるので、普段使うキーボードだけを追加しておくのがおすすめだ。キーボードは削除しても、いつでも追加し直すことができる。

1 新しいキーボードを追加する

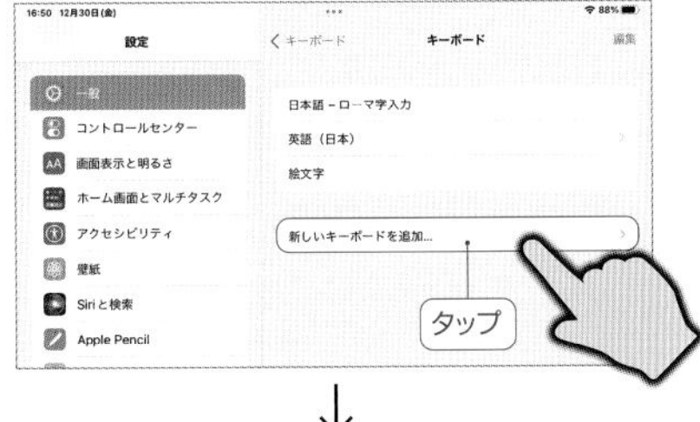

タップ

↓

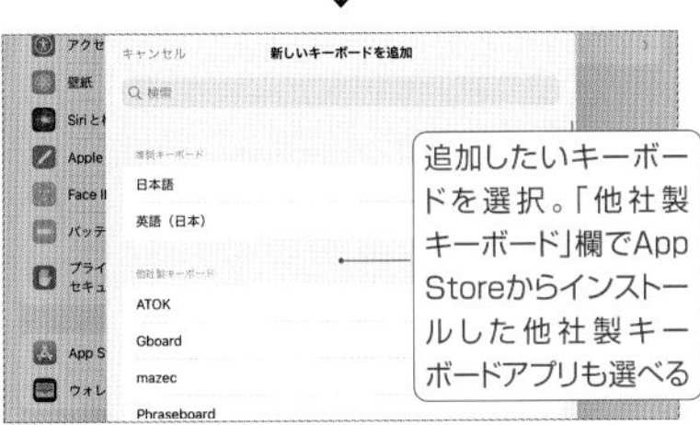

追加したいキーボードを選択。「他社製キーボード」欄でApp Storeからインストールした他社製キーボードアプリも選べる

「設定」→「一般」→「キーボード」→「キーボード」→「新しいキーボードを追加」をタップすると、他のキーボードを追加できる。

2 不要なキーボードを削除する

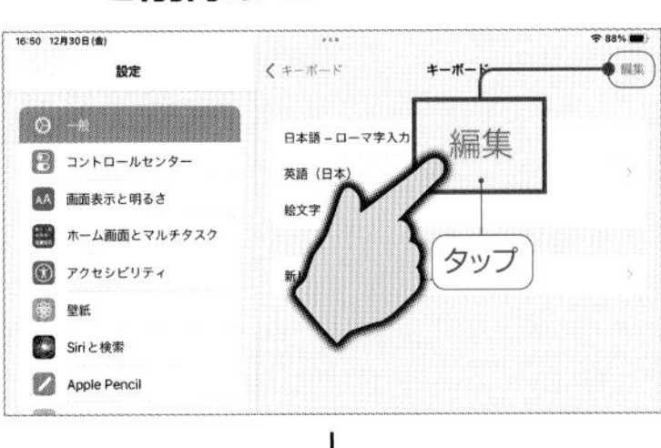

編集
タップ

↓

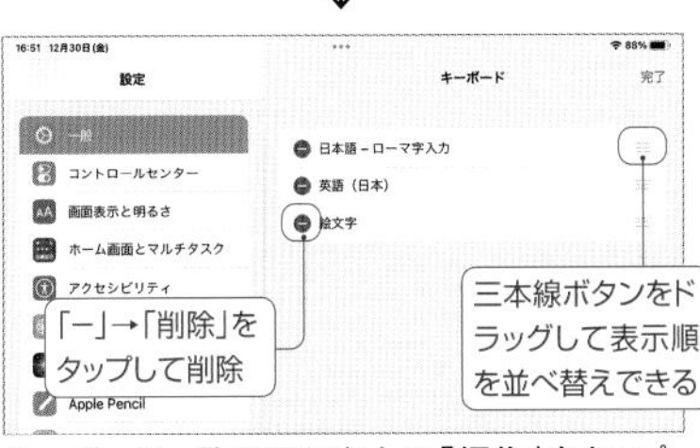

「ー」→「削除」をタップして削除
三本線ボタンをドラッグして表示順を並べ替えできる

キーボード一覧画面で右上の「編集」をタップ。「ー」→「削除」をタップすると、不要なキーボードを削除できる。

基本

024

(本体操作)

ローマ字入力で日本語を入力しよう
iPadで文字を入力する

iPadで日本語を入力するには、標準の「日本語-ローマ字入力」キーボードを使おう。パソコンとほぼ同じQWERTYキー配列で、日本語入力もパソコンと同じくローマ字入力で行える。たとえば「おはよう」と入力したい場合は、「ohayou」とキーをタップしていけばよい。ローマ字入力した文字は基本的にひらがなで入力され、変換候補から選択して漢字やカタカナに変換できる。英字を入力したいときは「abc」キーをタップし、数字や記号を入力したいときは「.?123」キーをタップするとキー配列が切り替わる。英字や数字・記号入力モードでは、シフトキーや全角キーの使い方も覚えておこう。

「日本語-ローマ字入力」キーボードの各種キー

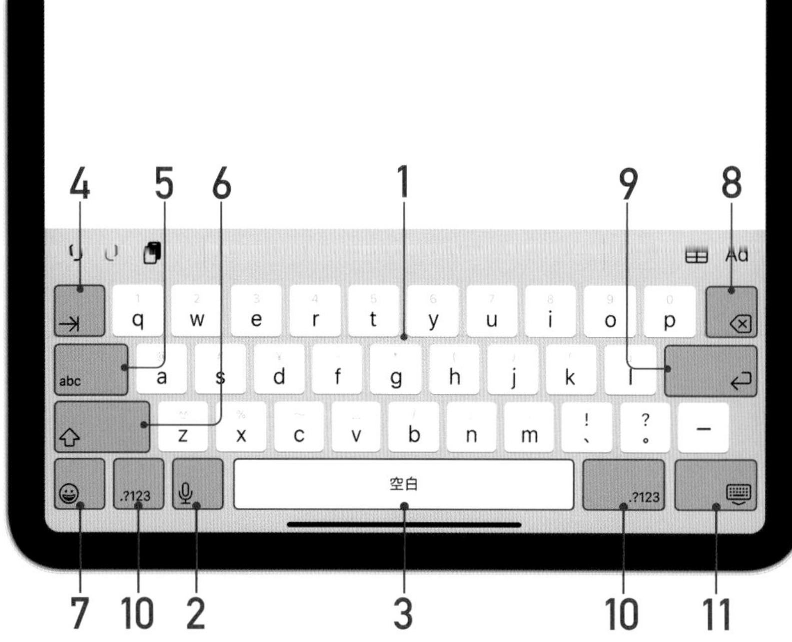

4 5 6 1 9 8
abc
空白
.?123
7 10 2 3 10 11

1 文字キー
タップして文字を入力する。キーに表示された薄く小さい文字は、下にフリックすると入力できる。

2 音声入力
音声で文字を入力する。

3 空白/次候補キー
全角スペースを入力する。日本語入力後は次候補キーに変わる。

4 タブキー
入力エリアを切り替えたり文字の先頭を揃える。

5 英字入力
英字入力モードに切り替える。

6 シフトキー
大文字のアルファベットや別の文字種に切り替える。

7 絵文字/地球儀キー
絵文字入力モードに切り替える。地球儀キーの場合はタップすると別のキーボードに切り替わる。

8 削除キー
カーソル位置より左側にある1文字を削除する。

9 改行/確定キー
改行する。日本語入力後は確定キーに変わり、現在選択している変換候補を確定する。

10 数字・記号入力
数字・記号入力モードに切り替える。

11 キーボードの非表示
キーボードを非表示にする。キーボードの裏に隠れてしまったボタンなどを押したい時に便利。文字入力欄をタップすれば再度キーボードが表示される。

英字入力モード

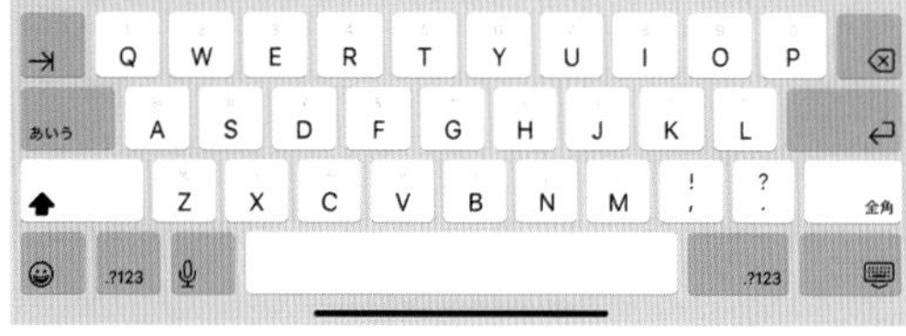

「abc」キーをタップすると英字の入力モードになる。シフトキーで大文字と小文字の入力を切り替えでき、全角ボタンで全角文字を入力できる。

数字・記号入力モード

「.?123」キーをタップすると、数字や主な記号の入力モードになる。日本語用と英語用で入力できる記号が異なるほか、「#+=」キーをタップするとさらに別の記号も入力できる。

文字入力の基本的な流れ

1 ローマ字で日本語を入力する

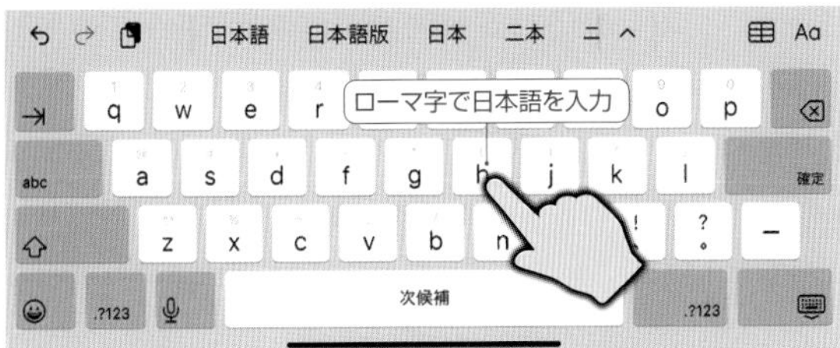

日本語　日本語版　日本　二本
ローマ字で日本語を入力
次候補

にほんご

日本語入力モードでは、「nihongo」のようにローマ字表記でキーをタップして文字を入力する。また、小さい「っ」を入力するには、「tta」で「った」や「kki」で「っき」のように同じ子音を連続で入力すればよい。

2 変換候補から選んで確定する

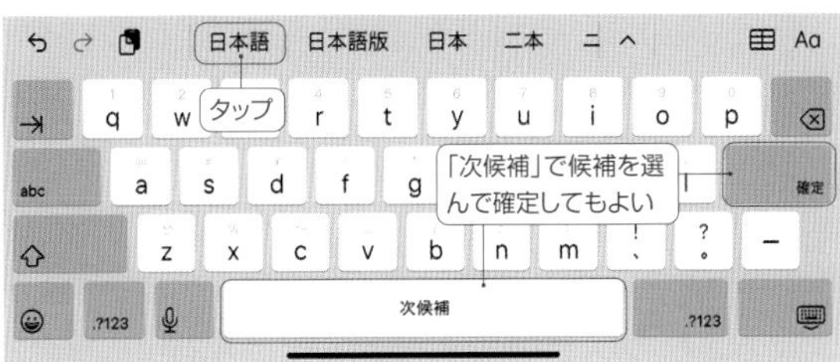

日本語　日本語版　日本　二本
タップ
「次候補」で候補を選んで確定してもよい
確定
次候補

日本語

文字を入力すると、キーボード上部に予測変換の候補が表示される。タップして変換を確定しよう。ひらがなを入力したい場合は、変換候補をタップせず、そのまま「確定」をタップすればよい。

3 句読点や感嘆符を入力する

タップ
「!」「?」はシフトキーを押してから入力する

、。！？

句読点はキーボード右下にある「、」「。」キーを押せば入力できる。シフトキーを押すことで「!」「?」も同じキーで入力することが可能だ。

4 さまざまな括弧を入力する

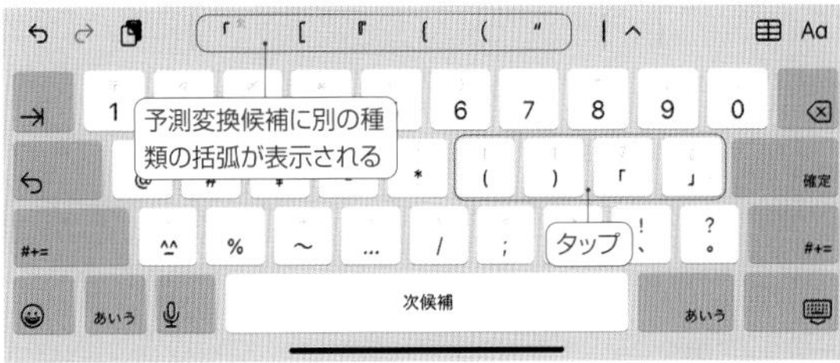

予測変換候補に別の種類の括弧が表示される
タップ
確定
次候補

「」()

「.?123」キーで数字·記号入力モードにすると、丸括弧やカギ括弧を入力できる。括弧のキーを入力すると、予測変換候補で別の種類の括弧も選択できる。

5 英字入力モードのシフトキーの使い方

"ABCDEF"
シフトキーをダブルタップすれば連続で大文字が打てる
全角

ABCDEF

「abc」キーで英字入力モードに切り替え、シフトキーをタップすると、直後に入力した1文字が大文字になる。ダブルタップするとシフトキーが固定され、大文字を連続して入力できる。

6 英字や数字を全角で入力する

"ABCDEF"
全角
タップ

ＡＢＣｄｅｆ

英字入力や、英語用の数字·記号入力モードに用意されている「全角」キーをタップすると、入力する英字や数字がすべて全角文字になる。「半角」キーをタップすると半角文字に戻る。

基本

025 パソコンのキーボードに慣れていない人向け わかりやすい五十音表のキーボードを利用する

本体操作

ローマ字の日本語入力に慣れていない人は、「日本語-かな入力」キーボードを使ってみよう。文字キーが五十音順に配置されているので文字の場所がわかりやすく、句読点やカギ括弧キーも左列にまとまっており使いやすい。このキーボードを利用するには、No023で紹介したキーボードの追加手順で、「新しいキーボードを追加」→「日本語」の「かな入力」キーボードにチェックすればよい。不要な「日本語-ローマ字入力」キーボードは削除しておこう。なお、キーボード上を2本指でつまむようにピンチインすると、iPhoneと同じ12キーのフローティングキーボードに変わり、iPadでも片手でフリック入力できる。

「日本語-かな入力」キーボードの各種キー

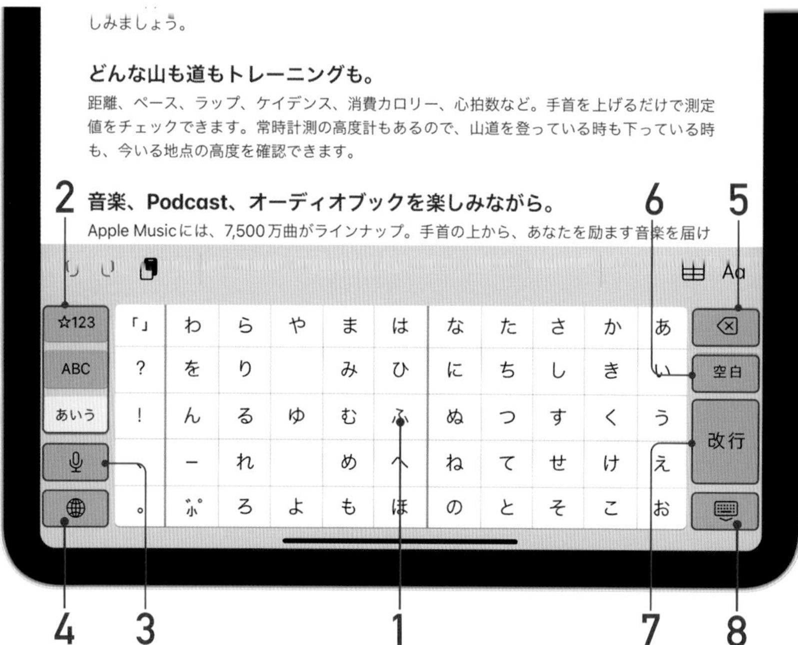
しみましょう。
どんな山も道もトレーニングも。
距離、ペース、ラップ、ケイデンス、消費カロリー、心拍数など。手首を上げるだけで測定値をチェックできます。常時計測の高度計もあるので、山道を登っている時も下っている時も、今いる地点の高度を確認できます。
音楽、Podcast、オーディオブックを楽しみながら。
Apple Musicには、7,500万曲がラインナップ。手首の上から、あなたを励ます音楽を届け
☆123
ABC
あいう
空白
改行
1
2
3
4
5
6
7
8

1 文字キー
タップして文字を入力する。入力モードによって入力できる内容が変わる。

2 入力モード切り替え
入力する文字種を切り替える。「あいう」で日本語、「ABC」で英字、「☆123」で数字・記号の入力モードに切り替わる。

3 音声入力
音声で文字を入力する。

4 地球儀キー
タップすると別のキーボードに切り替わる。ロングタップするとすべてのキーボードがリスト表示され、タップして直接切り替えできる。

5 削除キー
カーソル位置より左側にある1文字を削除する。

6 空白／次候補キー
全角スペースを入力する。日本語入力後は次候補キーに変わり、予測変換の次候補を選択できる。

7 改行／確定キー
改行する。日本語入力後は確定キーに変わり、現在選択している変換候補を確定する。

8 キーボードの非表示
キーボードを非表示にする。キーボードの裏に隠れてしまったボタンなどを押したい時に利用する。文字入力欄をタップすれば再度キーボードが表示される。

英字入力モード

☆123 a b c d e f g h i j
ABC k l m n o p q r s t 空白
あいう u v w x y z ( ) [ ] 改行
- _ / : & @ # * ^ '
, . ! ? 全角

「ABC」キーをタップすると英字の入力モードになる。シフトキーで大文字と小文字の入力を切り替えでき、全角ボタンで全角文字を入力できる

数字・記号入力モード

☆123 年 月 日 時 分 1 2 3
ABC × ÷ + - = 4 5 6 空白
あいう ♪ ☆ % ¥ 〒 7 8 9 改行
→ ~ ・ … ○ , 0 .
^^ / ( ) : 全角

「☆123」キーをタップすると、数字や主な記号の入力モードになる。年、日、分など日時入力用の漢字キーや、顔文字キーも用意されている。

文字入力の基本的な流れ

1 文字を選んで日本語を入力する

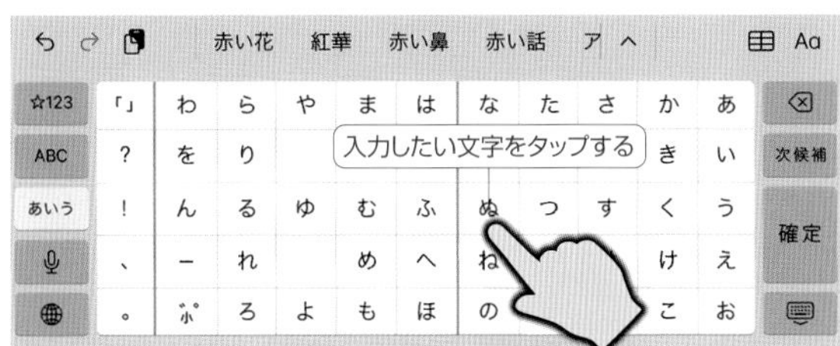
入力したい文字をタップする

あかいはな

五十音順に並んでいる文字キーをタップすれば、キー上に表示された文字が入力される。

2 変換候補から選んで確定する

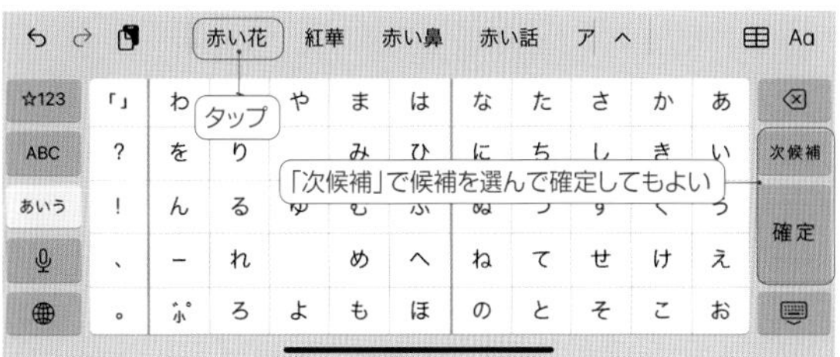
タップ
「次候補」で候補を選んで確定してもよい

赤い花

文字を入力すると、キーボード上部に予測変換の候補が表示される。タップして変換を確定しよう。ひらがなを入力したい場合は、変換候補をタップせず、そのまま「確定」をタップすればよい。

3 濁点や半濁点、小書き文字の入力

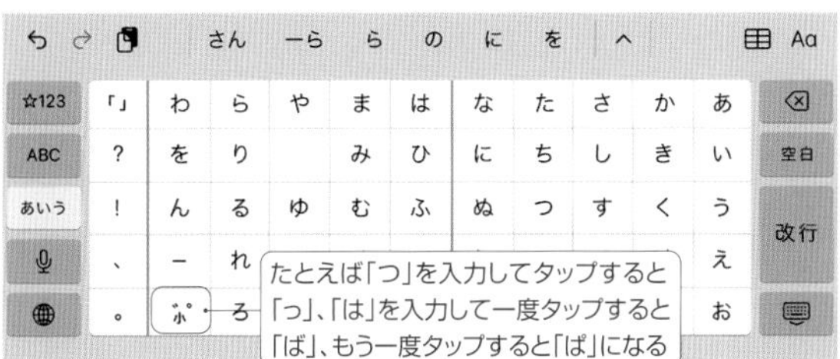
たとえば「つ」を入力してタップすると
「っ」、「は」を入力して一度タップすると
「ば」、もう一度タップすると「ぱ」になる

らっぱ

「小」キーをタップすると、直前に入力した文字を濁点や半濁点付きの文字にしたり、小書き文字に変換できる。

4 句読点や感嘆符、カギ括弧の入力

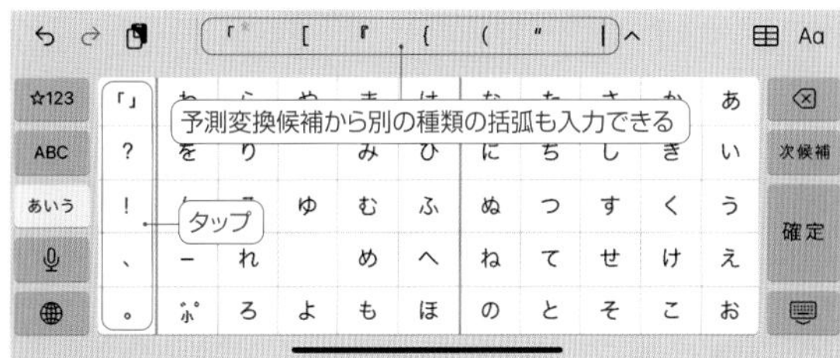
予測変換候補から別の種類の括弧も入力できる
タップ

。、！？「」

左側のキーで、句読点や感嘆符、疑問符、カギ括弧を入力できる。カギ括弧のキーは、一度タップすると左括弧、もう一度タップすると右括弧になる。

5 英字入力モードのシフトキーの使い方

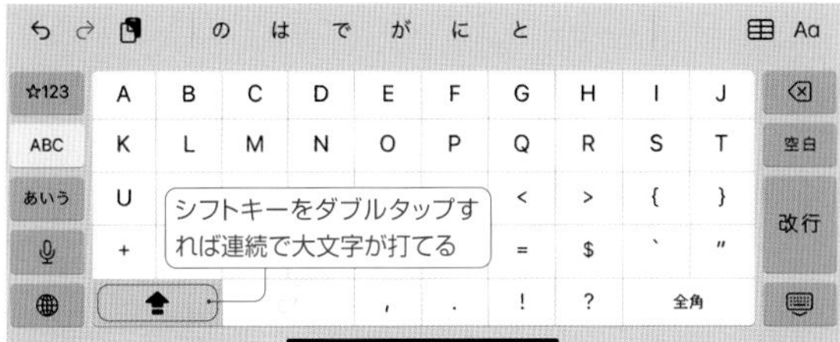
シフトキーをダブルタップすれば連続で大文字が打てる

ABCDEF

「ABC」キーで英字入力モードに切り替え、シフトキーをタップすると、直後に入力した1文字が大文字になる。ダブルタップするとシフトキーが固定され、大文字を連続して入力できる。

6 英字や数字を全角で入力する

タップ

ＡＢＣｄｅｆ

英字や数字・記号入力モードに用意されている「全角」キーをタップすると、入力する英字や数字がすべて全角文字になる。もう一度タップすると半角文字に戻る。

基本

026

本体操作

大量の絵文字から選べる
絵文字キーボードの使い方

「日本語-ローマ字入力」キーボードにある絵文字キーをタップするか、地球儀キーをタップしてキーボードを切り替えていくと、「絵文字」キーボードを利用できる。「スマイリーと人々」「動物と自然」「食べ物と飲み物」など、テーマごとに独自の絵文字が大量に用意されているので、文章を彩るのに役立てよう。一部の顔や人物の絵文字などは、ロングタップして肌の色を変えることもできる。なお、絵文字を入力するのにいちいち絵文字キーボードに切り替えなくても、「おめでとう」「わらう」などと入力すれば、変換候補に絵文字が表示され、タップして入力できる。絵文字をあまり使わないならこの方法が手軽だ。

「絵文字」キーボードの各種キー

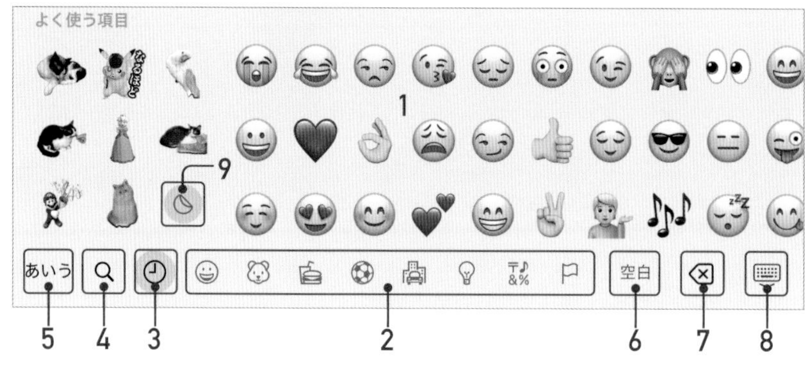
よく使う項目
あいう
空白
1
2
3
4
5
6
7
8
9

1 文字キー
タップして絵文字を入力する。左右スワイプでほかの絵文字候補を表示できる。

2 カテゴリ切り替え
絵文字のカテゴリを切り替える。左右スワイプでほかの絵文字候補を表示できる。

3 よく使う絵文字
よく使う絵文字を表示する。

4 絵文字を検索
タップすると絵文字をキーワード検索できる。

5 キーボード切り替え
タップするとキーボードに戻る。

6 空白キー
タップして空白を挿入する。

7 削除キー
カーソル位置より左側にある1文字を削除する。

8 キーボードの非表示
キーボードを非表示にする。

9 ステッカー
ステッカー（No039で解説）を貼り付ける。

基本

027

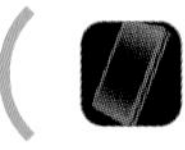

本体操作

入力した文字を編集しよう
文字や文章をコピーしたり貼り付けたりする

入力したテキストの編集は、文字を選択した際に表示される各種メニューで行える。まず、テキスト内を一度タップしてカーソルを表示させたら、このカーソルをタップしよう。カーソル上部に「選択」や「すべてを選択」といったメニューが表示される。「選択」をタップして左右端のカーソルで選択範囲を調整したら、上部メニューの「コピー」をタップすれば選択範囲のテキストをコピーできる。元の文章を切り取って別の場所へ貼り付けたいときは「カット」をタップすればよい。コピーやカットした文字列は、カーソルをタップして表示されるメニューから「ペースト」をタップすると、カーソル位置に貼り付けできる。

1 テキストを選択してコピーする

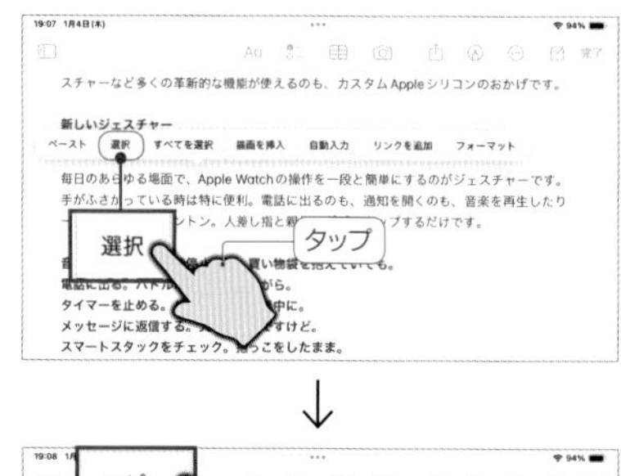
新しいジェスチャー
ペースト
選択
すべてを選択
自動入力
リンクを追加
フォーマット
選択
タップ
タイマーを止める。
メッセージに返信する。
スマートスタックをチェック。

↓

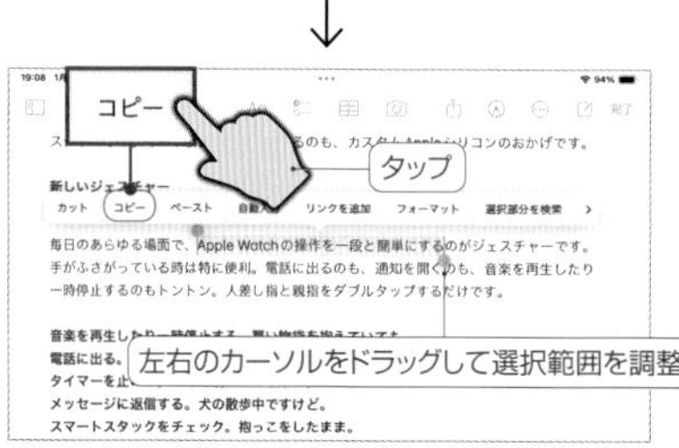
コピー
タップ
新しいジェスチャー
カット
コピー
ペースト
リンクを追加
フォーマット
左右のカーソルをドラッグして選択範囲を調整
メッセージに返信する。
スマートスタックをチェック。

テキスト内のカーソルをタップして「選択」をタップ。左右のカーソルで選択範囲を調整したら「コピー」をタップする。

2 コピーしたテキストを貼り付ける

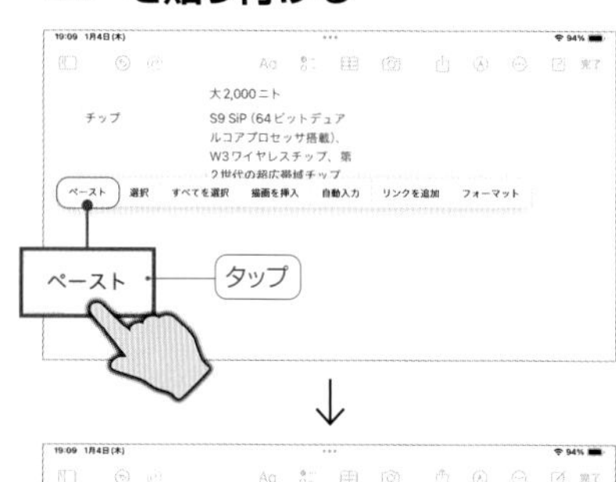
チップ
ペースト
選択
すべてを選択
自動入力
リンクを追加
フォーマット
ペースト
タップ

↓

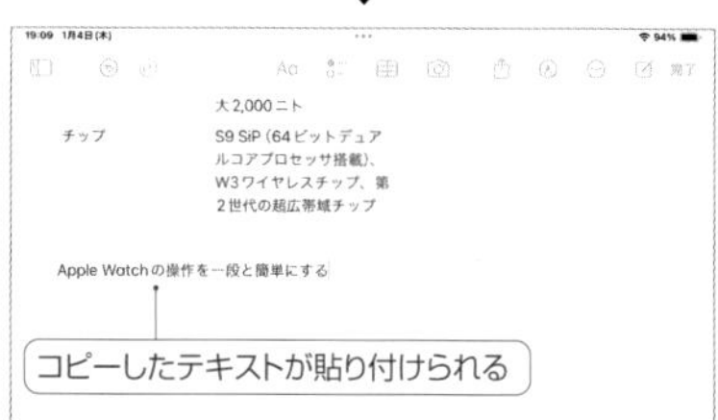
チップ
コピーしたテキストが貼り付けられる

貼り付けたい位置にカーソルを移動してタップし、「ペースト」をタップすると選択した文章を貼り付けできる。

基本

028 画面を横向きにして利用する

本体操作

横向きなら動画も広い画面で楽しめる

横向きで撮影した動画を再生する場合や、電子書籍で漫画を読むときなどは、iPad本体を横向きに倒してみよう。端末の向きに合わせて、画面も自動的に回転し横向き表示になる。画面が横向きにならない時は、コントロールセンターの「画面の向きをロック」ボタンがオンになっているので、オフにしてから横向きにする。なお、画面を横向きにした状態でこのボタンをオンにすると、横向きのまま固定することも可能だ。寝転がってWebサイトを見る際など、画面が縦向きになったり横向きになったりして回転がわずらわしい場合は、画面を縦向きか横向きに固定した上で閲覧するといい。

iPadの画面の向きを変更したりロックする

1 画面の向きのロックを解除する

オフを確認する

↓

iPadを横向きにすると画面が自動的に回転する。ホーム画面のウィジェット（No029で解説）も、横向き画面に合わせた場所に自動で配置される

コントロールセンターの「画面の向きをロック」がオンになっていると、iPadを横向きにしても画面が回転しない。ボタンをタップしてロックを解除した上で、iPadを横向きにしてみよう。

2 横向きの画面で動画などを楽しむ

国営沖縄記念公園 海洋博公園
iPadで動画を撮影する時は横向きにしておくと、再生時もこのように横向きの大画面で楽しめる。動画を再生するほかにも、映画を視聴したり、電子書籍の漫画を読んだりするときは、iPadを横向きにしたほうが快適だ

横向きで撮影された動画などを、迫力のある全画面で楽しめる。なお、横向きに回転させた状態で「画面の向きをロック」をオンにすると、iPadを縦向きにしても横向きの画面のまま固定される。

設定ポイント

音量ボタンの役割を向きによって変更する

多くのiPadモデルの音量ボタンは、基本的に電源ボタンに近いほうが音量を上げるボタンで、遠いほうが音量を下げるボタンになっているが、iPad Pro 11インチ（第4世代）、iPad Pro 12.9インチ（第6世代）、iPad（第10世代）、iPad mini（第6世代）、iPad Air（第5世代）では、iPadを回転させると、その向きに応じて音量ボタンの上下が入れ替わる仕組みになっている。この機能により、iPadをどの向きで持っていても、常に右または上のボタンで音量を上げることができ、左または下のボタンで音量を下げることが可能だ。その他のモデルのiPadでも、「設定」→「サウンド」で「音量コントロールの位置を固定」のスイッチをオフにすることで、同様に右または上が音量を上げるボタンに、左または下が音量を下げるボタンに、自動的に役割が変わるようになる。

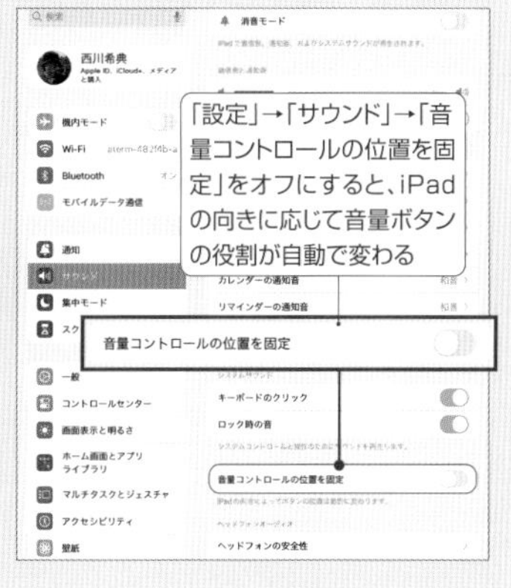
「設定」→「サウンド」→「音量コントロールの位置を固定」をオフにすると、iPadの向きに応じて音量ボタンの役割が自動で変わる
音量コントロールの位置を固定

基本

029

本体操作

ホーム画面で天気やニュースを素早く確認できる

ホーム画面のウィジェットを追加、削除する

アプリを起動しなくても最新情報を確認できたり、アプリに備わる特定の機能を素早く呼び出せるパネル状のツールを「ウィジェット」と言う。iPadでは、このウィジェットをホーム画面の好きな場所に配置することが可能だ。今日の予定や天気予報、ニュースなどの最新情報をホーム画面を開くだけで確認できるほか、ミュージックアプリなどはウィジェット上に再生ボタンが表示されて直接操作できる。アプリごとにサイズや機能の異なるウィジェットが複数用意されているので、自分で使いやすいように組み合わせて配置しよう。なお、横画面にしても最適なレイアウトで表示される。

ウィジェットの配置方法と設定、削除

1 ホーム画面を編集モードにする

タップ
ホーム画面の何もない部分をロングタップ

ホーム画面の何もない部分をロングタップすると、アプリが振動し始めてホーム画面の編集モードになる。続けて、画面左上の「＋」ボタンをタップしよう。

2 ウィジェットを選択して追加する

アプリによってはサイズや機能の異なるウィジェットが複数用意されているので、左右スワイプで選んで「ウィジェットを追加」をタップしよう。ミュージックやリマインダーなど、直接音楽を再生したりタスク完了を操作できるウィジェットもある

ウィジェット選択画面の左欄でアプリを選択し、続けてウィジェットのサイズや機能を選択する。サイズによって表示内容や機能が異なる場合もある。選んだら「ウィジェットを追加」をタップしよう。

3 ウィジェットの位置を変更する

ホーム画面の編集モードにして、ウィジェットをドラッグすると移動できる

ウィジェットがホーム画面に配置される。ウィジェットの場所を変更したい場合は、ホーム画面の何もない部分をロングタップして編集モードにし、ウィジェットをドラッグして移動すればよい。

4 ウィジェットの機能を設定する

ウィジェットをロングタップして「ウィジェットを編集」をタップ

↓

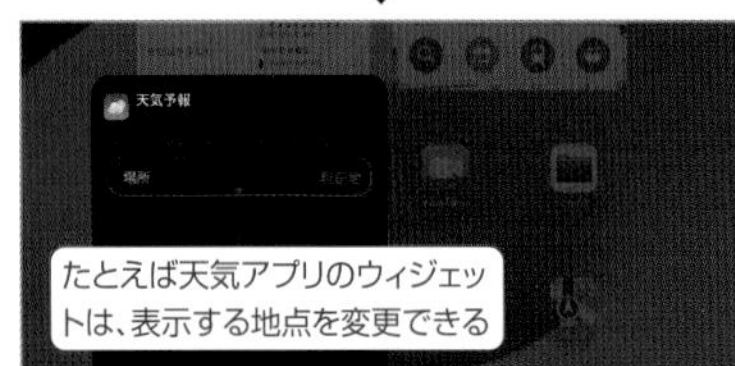

たとえば天気アプリのウィジェットは、表示する地点を変更できる

ウィジェットの中には、配置後に設定が必要なものや表示項目を変更できるものがある。ウィジェットをロングタップして、表示されるメニューで「ウィジェットを編集」をタップしよう。

5 ウィジェットを削除する

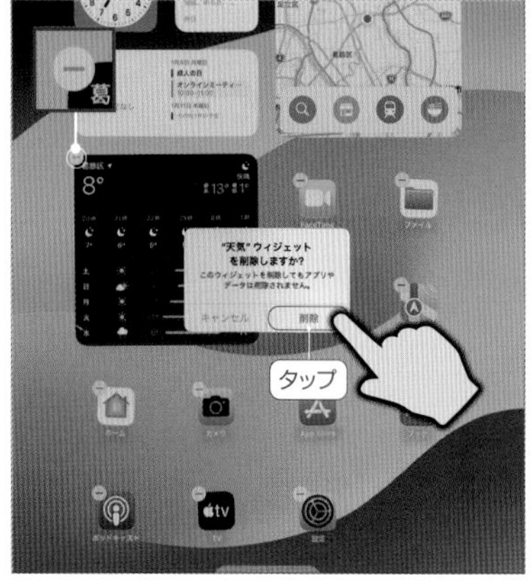

タップ

配置したウィジェットを削除するには、ホーム画面の何もない部分をロングタップして編集モードにし、ウィジェットの左上にある「ー」をタップ。続けて「削除」をタップすればよい。

オススメ操作

ウィジェットは重ねることもできる

同じサイズのウィジェットは、重ねてひとつのウィジェットエリア内に格納できる。ウィジェット内を上下にスワイプすると、他のウィジェット表示に切り替え可能だ。

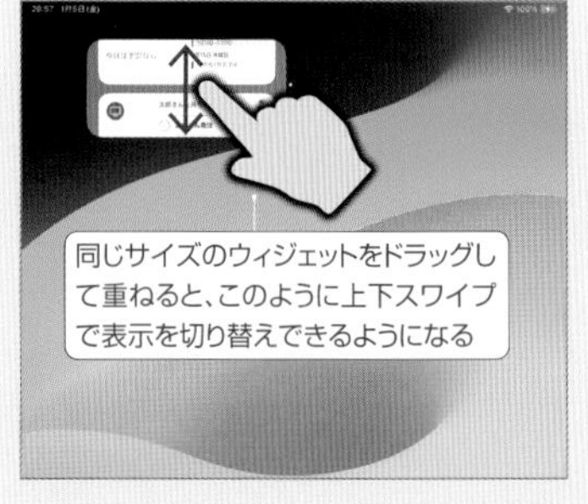

同じサイズのウィジェットをドラッグして重ねると、このように上下スワイプで表示を切り替えできるようになる

基本

030 ホーム画面の最初のページを右にスワイプ ウィジェット画面の使い方

 本体操作

No029で解説した「ウィジェット」は、ホーム画面だけでなく、ホーム画面の1ページ目を右にスワイプしたときに表示される「今日の表示」画面にも配置できる。この「今日の表示」画面のウィジェットは、ロック画面を右にスワイプしたときにも表示できるので、ホーム画面を開かずロック画面だけでサッと確認したいアプリの情報をウィジェットで配置しておくといいだろう。「今日の表示」画面を開いたら、一番下までスクロールして「編集」をタップ。左上に「+」ボタンが表示されるので、あとはNo029の手順と同様に、ウィジェットを選択して「ウィジェットを追加」で追加できる。ドラッグして場所の入れ替えも可能だ。

1 今日の表示画面で編集をタップ

右にスワイプ
編集
タップ

ホーム画面の最初のページを右にスワイプして「今日の表示」画面を表示させたら、一番下の「編集」ボタンをタップ。

2 「+」ボタンでウィジェットを追加

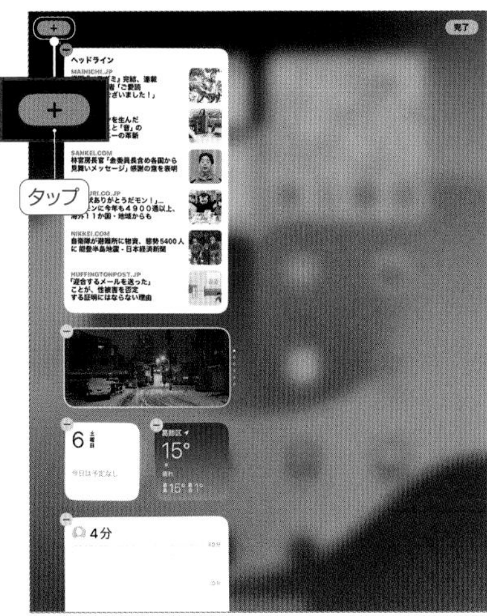

タップ

左上の「+」ボタンをタップし、あとはNo029と同じ手順でウィジェットを選択して追加しよう。

基本

031 コントロールパネルで切り替え iPadから音が鳴らない消音モードにする

 本体操作

音量ボタンで音量を一番下まで下げても、音楽や動画などが消音になるだけで、FaceTimeの着信音やメールなどの通知音を消すことはできない。着信音や通知音を消す消音モードにするには、コントロールセンター(No005で解説)を開いて、消音ボタン(ベル型のボタン)をタップすればよい。ただし、音楽やアラームは消音されないので注意しよう。

画面の右上から下にスワイプしてコントロールセンターを開き、消音ボタンをタップする

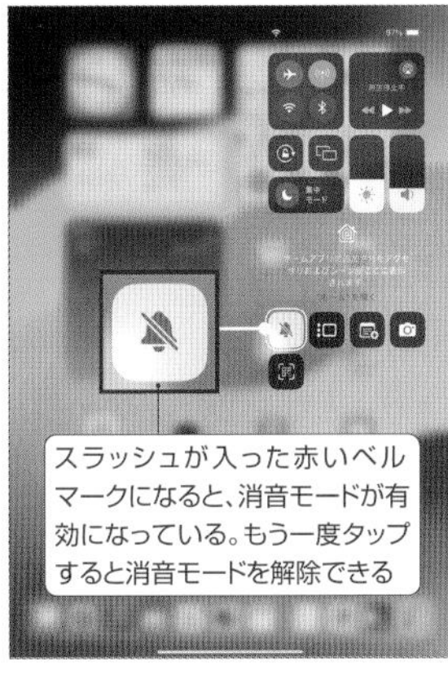

スラッシュが入った赤いベルマークになると、消音モードが有効になっている。もう一度タップすると消音モードを解除できる

基本

032 バッテリー節約などにも役立つ 機内モードを利用する

 本体操作

機内モードは、iPadが電波を発しないように通信を遮断する機能だ。iPadの電波が精密機器に影響を及ぼさないよう飛行機内などで使うほか、バッテリーを節約したいときや、着信や通知を一時的にオフにしたい時にも利用しよう。また、電波の状況が悪い時に、機内モードを一度オンにしてすぐオフにすると、すぐに再接続を試して復帰できる場合がある。

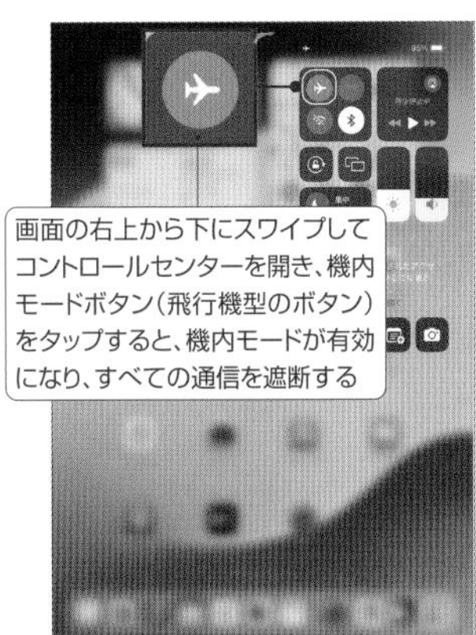

画面の右上から下にスワイプしてコントロールセンターを開き、機内モードボタン(飛行機型のボタン)をタップすると、機内モードが有効になり、すべての通信を遮断する

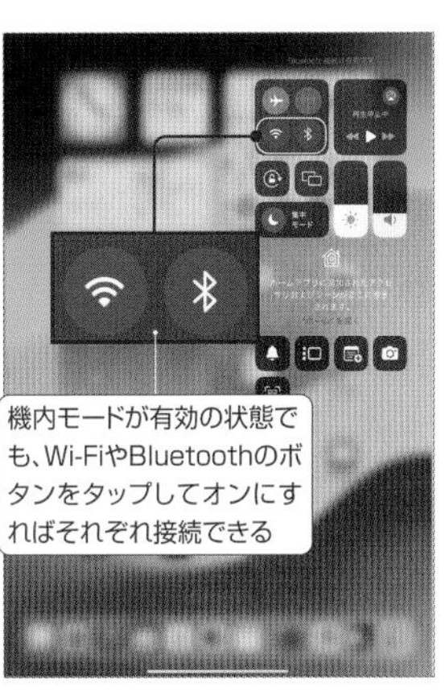

機内モードが有効の状態でも、Wi-FiやBluetoothのボタンをタップしてオンにすればそれぞれ接続できる

基本

033 アプリごとの通知設定をチェックしよう
通知の基本とおすすめの設定法

本体設定

iPadでは、メールアプリで新着メールが届いたときや、カレンダーで登録した予定が迫った時などに、「通知」で知らせてくれる機能がある。通知とは、アプリごとの最新情報をユーザーに伝えるための仕組みで、画面上部のバナー表示やロック画面に表示されるほか、通知音を鳴らせて知らせたり、ホーム画面のアプリに数字を表示してメッセージ数などを表すこともある。通知の動作はアプリごとに設定できる。通知を見落とせない重要なアプリはバナーやロック画面の表示を有効にしたり、逆に頻繁な通知がわずらわしいアプリはサウンドをオフにするなど、アプリの重要度によって柔軟に設定を変更しておこう。

iPadでの通知はおもに3種類ある

1 バナーやロック画面で通知を表示する

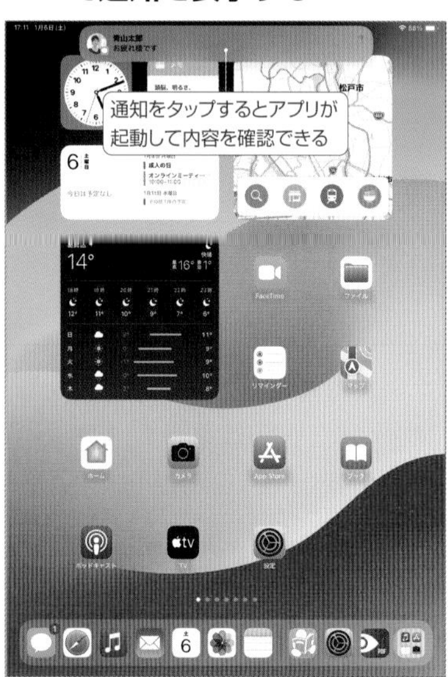
通知をタップするとアプリが起動して内容を確認できる

iPadの使用中にメッセージなどが届くと、画面上部にバナーで通知が表示され、タップするとアプリが起動して内容を確認できる。スリープ中に届いた場合はロック画面に通知が表示される。

2 サウンドを鳴らして知らせる

メールやメッセージなど一部のアプリは、通知音の種類を変更できる
設定
サウンド
なし
メモ（デフォルト）
ガラガラ
スライド
パッセージ
ハンドオフ
ポータル
マイルストーン
ようこそ
リバウンド
クラシック

通知をサウンドでも知らせてくれる。メールやメッセージなど一部のアプリは通知音の種類を変更することも可能だ。消音モードにすると、通知音も消音される（No031で解説）。

3 アプリにバッジを表示する

通知がある事を示すバッジ。たとえばメールアプリの場合は、未読メッセージの数が表示される

新しい通知のあるアプリは、アイコンの右上に赤丸マークが表示される。これを「バッジ」と言う。バッジ内に書かれた数字は、未読メッセージなどの数を表している。

操作のヒント

通知を見逃しても通知センターで確認できる

過去の通知を見逃していないか確認したい時は、画面上部の左上から下にスワイプして「通知センター」を開いてみよう。通知の履歴が一覧表示される。画面の一番下から上にスワイプするか、ホームボタンを押すと通知センターが閉じる。なお、通知の「×」ボタンをタップするか左にスワイプしたり、アプリを起動するなどして通知内容を確認した時点で、通知センターの通知は消える。

画面上部の左上から下にスワイプして通知センターを開く

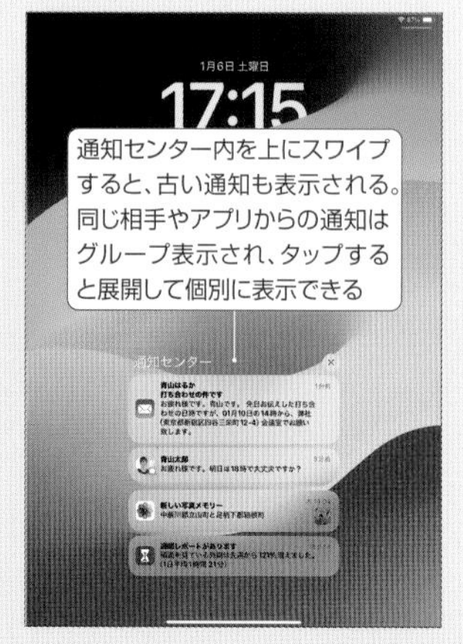
17:15
通知センター内を上にスワイプすると、古い通知も表示される。同じ相手やアプリからの通知はグループ表示され、タップすると展開して個別に表示できる

アプリごとに通知の設定を変更する

1 アプリの通知設定を開く

タップ

通知の設定を変更するには「設定」→「通知」をタップしよう。「通知スタイル」にアプリが一覧表示されているので、設定を変更したいアプリを探してタップする。

2 通知のオン／オフと表示スタイルの設定

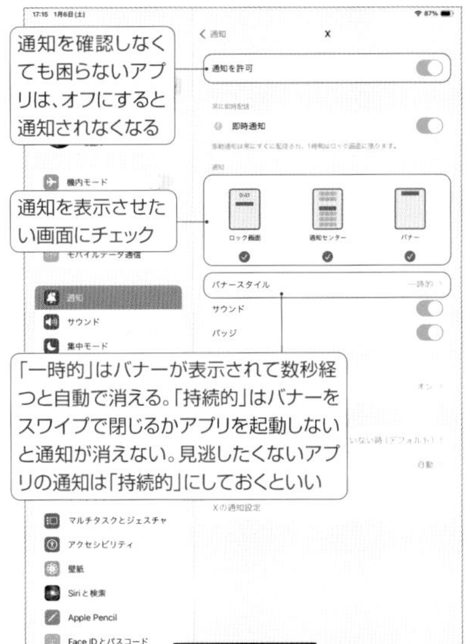
通知を確認しなくても困らないアプリは、オフにすると通知されなくなる
通知を表示させたい画面にチェック
「一時的」はバナーが表示されて数秒経つと自動で消える。「持続的」はバナーをスワイプで閉じるかアプリを起動しないと通知が消えない。見逃したくないアプリの通知は「持続的」にしておくといい

「ロック画面」「通知センター」「バナー」にチェックすると、それぞれの画面、機能でこのアプリの通知を表示する。「バナースタイル」ではバナーを自動で閉じるかどうか選択する。通知が不要なアプリは「通知を許可」をオフにしよう。

3 サウンドとバッジを設定する

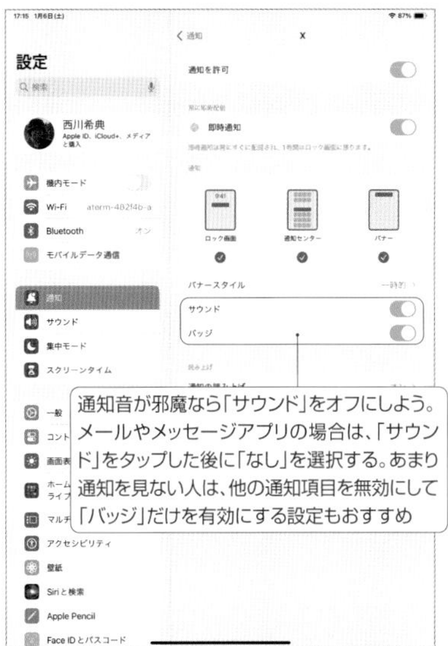
通知音が邪魔なら「サウンド」をオフにしよう。メールやメッセージアプリの場合は、「サウンド」をタップした後に「なし」を選択する。あまり通知を見ない人は、他の通知項目を無効にして「バッジ」だけを有効にする設定もおすすめ

「サウンド」をオンにしておくと、通知が届いたときに通知音が鳴る。「バッジ」をオンにしておくと、通知が届いたときにホーム画面のアプリにバッジが表示されるようになる。

4 通知画面に内容を表示させない

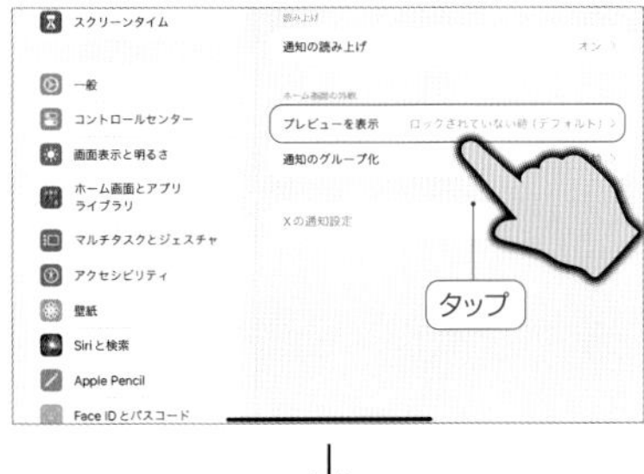
タップ

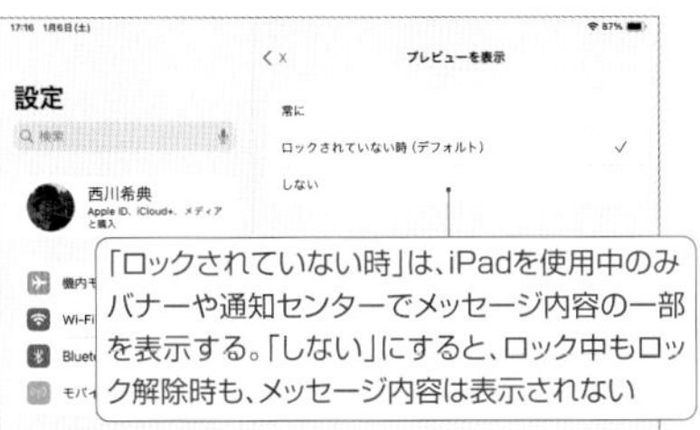
「ロックされていない時」は、iPadを使用中のみバナーや通知センターでメッセージ内容の一部を表示する。「しない」にすると、ロック中もロック解除時も、メッセージ内容は表示されない

メッセージやメールの通知は、内容の一部が通知画面に表示される。これを表示したくないなら、通知設定の下の方にある「プレビューを表示」をタップし、「しない」にチェックしておこう。

5 アプリ独自の通知設定を開く

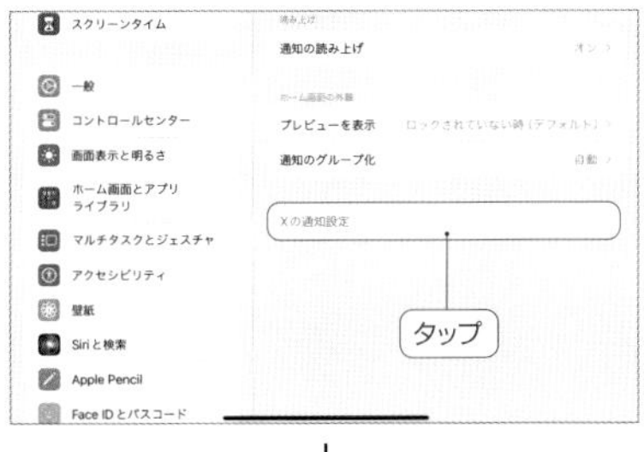
タップ

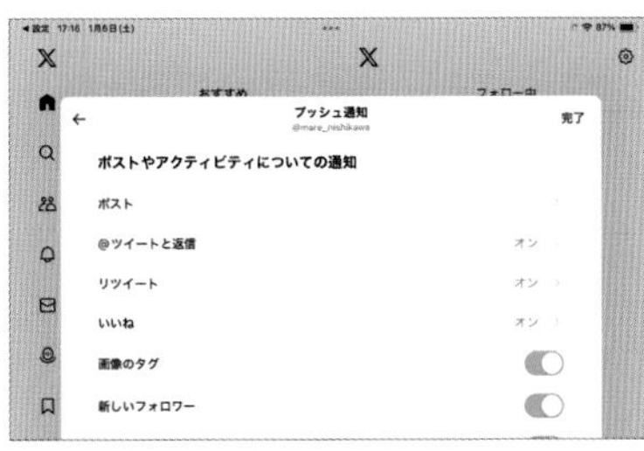

X(旧Twitter)やLINEなど一部のアプリは、通知設定の一番下に「○○の通知設定」という項目が用意されている。これをタップすると、アプリ独自の通知設定画面が開き、より細かく通知設定を変更できる。

6 指定時間に通知をまとめて表示する

オンにする
まとめて通知する時間を指定する
ニュースアプリなど、あとでまとめて通知を確認しても問題ないアプリのスイッチをオンにしておこう

「設定」→「通知」→「時刻指定要約」をタップし、「時刻指定要約」のスイッチをオンすると、「要約に含まれるアプリ」でオンにしたアプリの通知を、「スケジュール」で設定した時間にまとめて通知するようになる。

オススメ操作

通知センターで通知をオフにする

通知センターの各通知を左にスワイプして「オプション」をタップ。メニューで「オフにする」を選べば、そのアプリの通知をオフにできる。通知が不要と判断したものは、オフにしていこう。

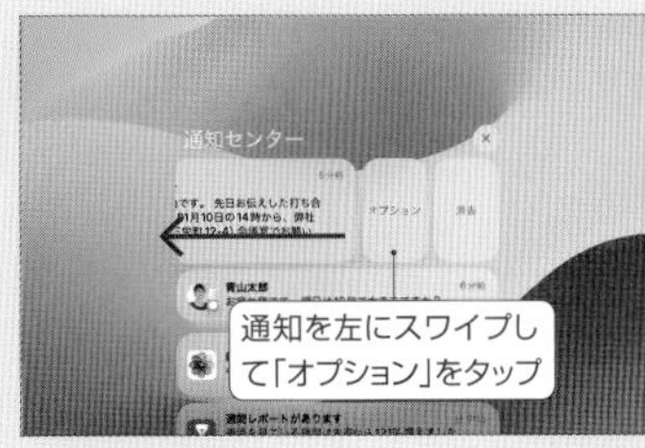
通知を左にスワイプして「オプション」をタップ

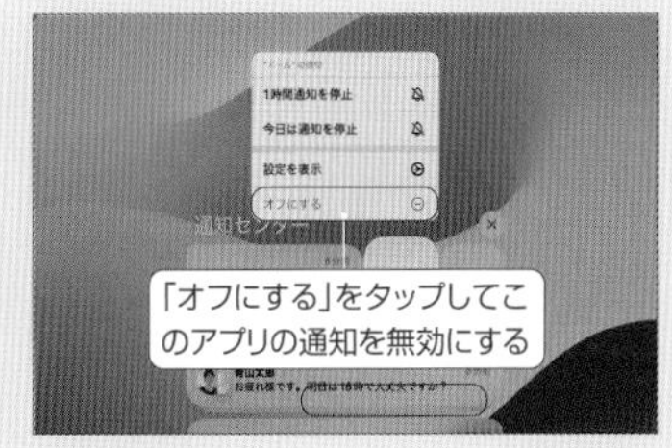
「オフにする」をタップしてこのアプリの通知を無効にする

基本

034

本体設定

初期設定のまま使ってはいけない

iPadを使いやすくするためにチェックしたい設定項目

iPadにはさまざまな設定項目があり、アプリと一緒に並んでいる「設定」をタップして細かく変更できる。iPadの動作や画面表示などで気になる点がないならそのまま使い続けて問題ないが、何か使いづらさやわずらわしさを感じたら、該当する設定項目を探して変更しておこう。それだけで使い勝手が変わったり、操作のストレスがなくなることも多い。ここでは、あらかじめチェックしておいた方がよい設定項目をまとめて紹介する。それぞれ、「設定」のどのメニューを選択していけばよいかも記載してあるので、迷わず設定できるはずだ。

使いこなしPOINT

文字が小さくて読みにくいなら

画面に表示される文字の大きさを変更

画面に表示される文字が小さくて読みづらい場合は、設定で文字を大きくしよう。「設定」→「画面表示と明るさ」→「テキストサイズを変更」の画面にあるスライダを右にドラッグすればよい。メニューやメールの文章など、さまざまな文字が大きく表示されるようになる。

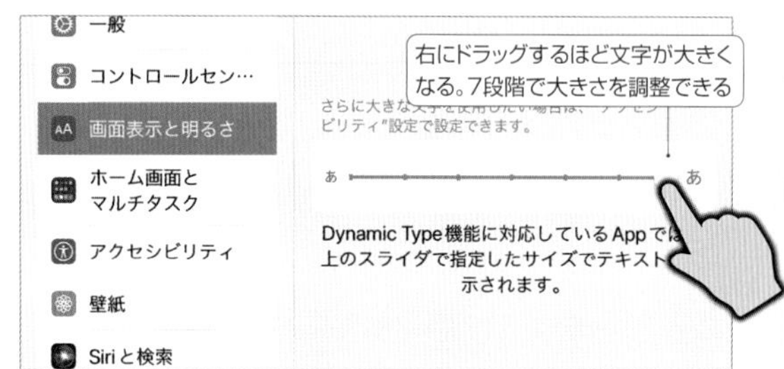

一般
コントロールセン…
画面表示と明るさ
ホーム画面と
マルチタスク
アクセシビリティ
壁紙
Siriと検索
右にドラッグするほど文字が大きくなる。7段階で大きさを調整できる
あ
あ
Dynamic Type機能に対応しているAppでは上のスライダで指定したサイズでテキストが表示されます。

スリープが早すぎる場合は

画面が自動で消灯するまでの時間を長くする

iPadは一定時間画面を操作しないと画面が消灯したり薄暗くなりスリープ状態になる。無用なバッテリー消費を抑えるとともにセキュリティにも配慮した仕組みだが、すぐに消灯すると使い勝手が悪い。「設定」→「画面表示と明るさ」→「自動ロック」で、少し長めに設定しておこう。

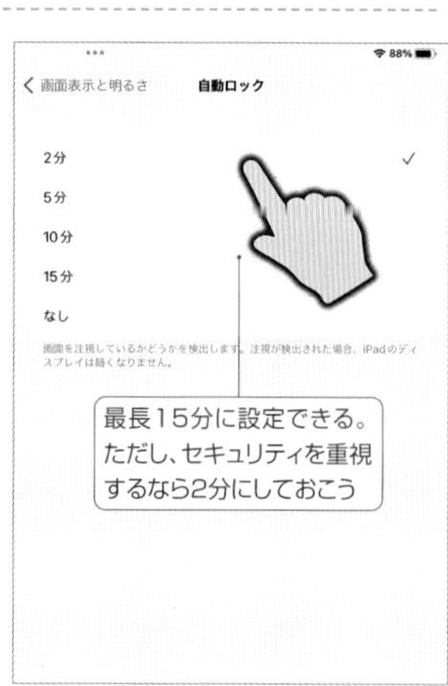

画面表示と明るさ
自動ロック
2分
5分
10分
15分
なし
最長15分に設定できる。ただし、セキュリティを重視するなら2分にしておこう

スリープ解除をスムーズに

画面をタップしてスリープを解除する

ホームボタンのないiPadでは、「設定」→「アクセシビリティ」→「タッチ」→「タップしてスリープ解除」をオンにしておくと、消灯したiPadの画面をタップするだけでスリープを解除できる。iPadを机に置いたままで、画面を確認したり操作したいときに便利な機能だ。

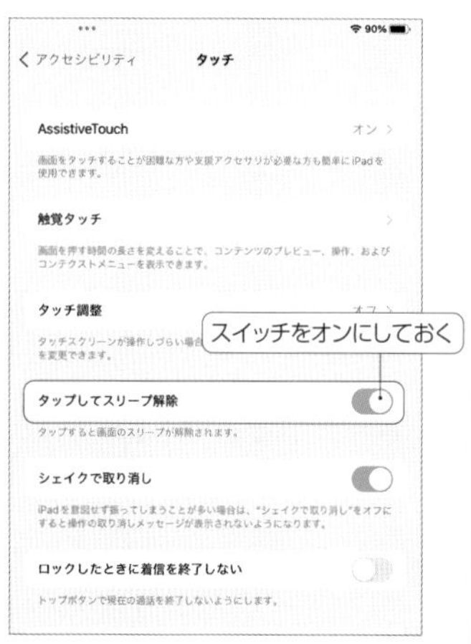

アクセシビリティ
タッチ
AssistiveTouch
触覚タッチ
タッチ調整
タップしてスリープ解除
シェイクで取り消し
ロックしたときに着信を終了しない
スイッチをオンにしておく

操作時の音がわずらわしいなら

キーボードをタップした時の音を無効にする

キーボードの文字のキーは、標準の設定だとタップするたびに音が鳴る。文字を入力した感触が得られる効果はあるが、わずらわしくなったり公共の場で気になったりすることも多い。「設定」→「サウンド」→「キーボードのクリック」のスイッチをオフにしておこう。

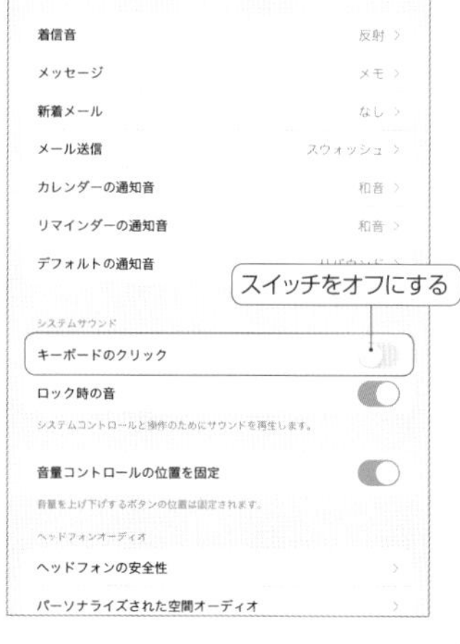

着信音
メッセージ
新着メール
メール送信
カレンダーの通知音
リマインダーの通知音
デフォルトの通知音
スイッチをオフにする
キーボードのクリック
ロック時の音
音量コントロールの位置を固定
ヘッドフォンの安全性
パーソナライズされた空間オーディオ

True Tone機能をオフにする

画面の黄色っぽさが気になる場合は

画面の黄色っぽい表示が気になる場合は、「設定」→「画面表示と明るさ」で「True Tone」のスイッチをオフにしよう。True Toneは、周辺の環境光を感知してディスプレイの色や彩度を自動的に調整する機能だが、画面が黄色味がかる傾向がある。

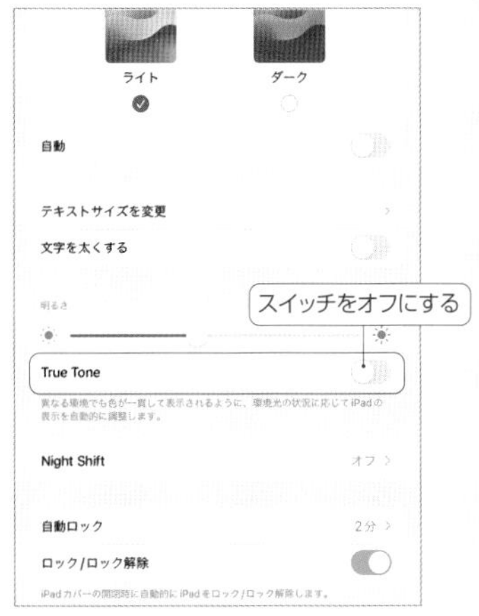

ライト
ダーク
自動
テキストサイズを変更
文字を太くする
スイッチをオフにする
True Tone
Night Shift
自動ロック
ロック/ロック解除

バッテリー残量を数値で把握しよう

バッテリーの残量を%で表示する

「設定」→「バッテリー」→「バッテリー残量(%)」をオンにしておくと、ステータスバーの電池アイコンの横に、バッテリー残量が%で表示されるようになる。iPadのバッテリーがあとどれくらいもつか数値ではっきり分かるので、あらかじめオンにしておくのがおすすめだ。

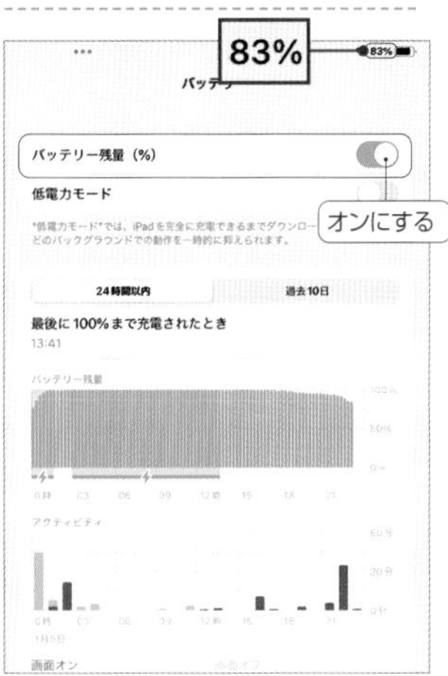

83%
バッテリー残量 (%)
低電力モード
オンにする
24時間以内
過去10日
最後に100%まで充電されたとき

コントロールセンターで調整

画面の明るさを調整する

画面の明るさは周囲の光量に応じて自動で調整されるが、画面が暗すぎたり明るすぎると感じるなら、画面右上から下にスワイプしてコントロールセンターを開き、明るさのスライダをドラッグして調整しよう。「設定」→「画面表示と明るさ」のスライダでも調整できる。

71%
再生停止中
集中モード
コントロールセンターの明るさ調整スライダを、上に動かすと画面が明るく、下に動かすと暗くなる

素早く入力できるように

パスコードを4桁の数字に変更する

ロック解除に指紋認証や顔認証を使っていても、うまく認証されず結局パスコードを入力する機会は意外と多い。パスコードは、より素早く入力できる4桁に変更可能だ。ただし、セキュリティの強度は下がってしまうので注意しよう。また、英数字を使ったパスコードを設定することも可能。

パスコードを変更
「設定」→「Touch ID(Face ID)とパスコード」→「パスコードを変更」で、現在のパスコードを入力し、「パスコードオプション」をタップ。続けて「4桁の数字コード」を選択しよう
4桁の数字コード
6桁の数字コード
カスタムの数字コード
カスタムの英数字コード
パスコードオプション

ブルーライトをカットする

画面を目に優しい表示にする

「Night Shift」は、目の疲れの原因といわれるブルーライトを低減させる機能だ。「設定」→「画面表示と明るさ」→「Night Shift」で「時間指定」をオンにし、Night Shiftを有効にするスケジュールを設定すると、指定した時間帯は画面が暖色系になり目への負担が軽減される。

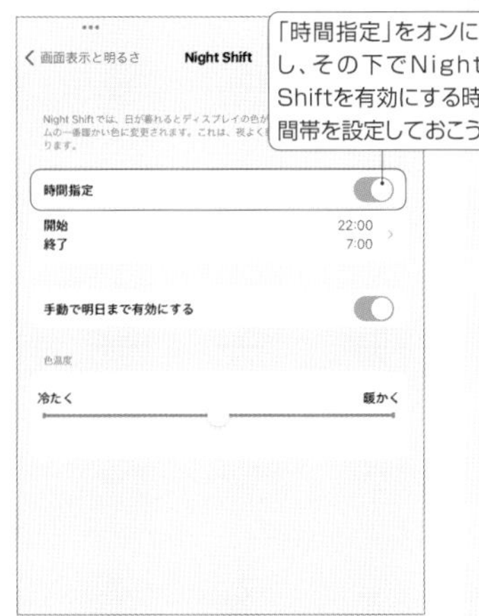

Night Shift
「時間指定」をオンにし、その下でNight Shiftを有効にする時間帯を設定しておこう
時間指定
開始
終了
22:00
7:00
手動で明日まで有効にする
冷たく
暖かく

黒ベースの画面が見にくいと思ったら

ダークモードの自動切り替えをオフにする

「設定」→「画面表示と明るさ」で「自動」がオンになっていると、夜間は黒を基調とした暗めの配色「ダークモード」に自動で切り替わる。周囲が暗い時は画面も暗めの方が目が疲れないが、ダークモードの画面が見にくいと感じるなら「ライト」を選択した上で「自動」をオフにしておこう。

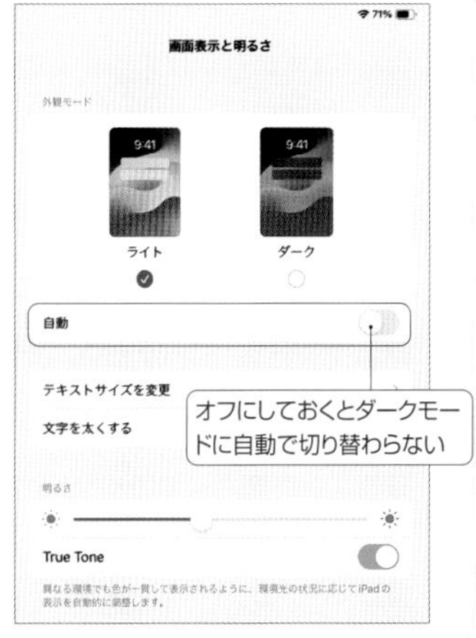

画面表示と明るさ
ライト
ダーク
自動
テキストサイズを変更
文字を太くする
オフにしておくとダークモードに自動で切り替わらない
True Tone

基本

035 アプリを探すときに使おう iPadの検索機能を利用する

本体操作

iPadには、Webサイトやインストール済みアプリ、App Storeのアプリ、アプリ内のコンテンツ、メール、ニュース、画像など、あらゆる情報をまとめて検索できる強力な「Spotlight検索」機能が用意されている。ホーム画面の中央あたりから下にスワイプすると検索画面が表示されるので、検索フィールドに検索したいキーワードを入力しよう。

ホーム画面の中央あたりを下にスワイプしようSpotlight検索の画面が表示される

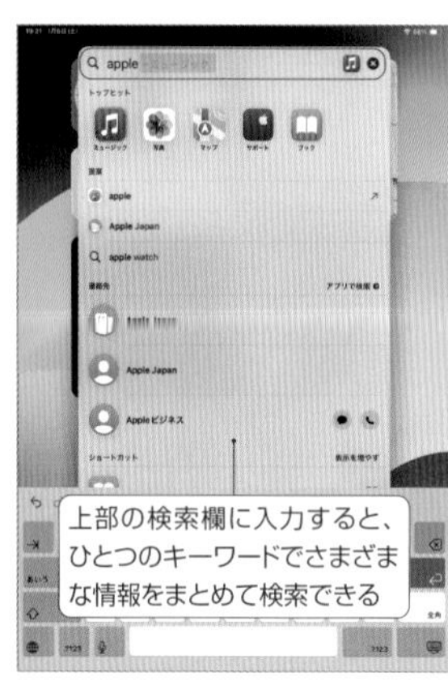
上部の検索欄に入力すると、ひとつのキーワードでさまざまな情報をまとめて検索できる

基本

036 クイックアクションで操作しよう アプリをロングタップしてメニューを表示

本体操作

ホーム画面に並んでいるアプリをロングタップ（長押し）すると、アプリごとにさまざまなメニューが表示される。これを「クイックアクションメニュー」と言う。アプリの主な機能を素早く実行するための機能だ。たとえば、メールアプリをロングタップすると、「新規メッセージ」などの項目が表示され、機能を素早く利用できる。

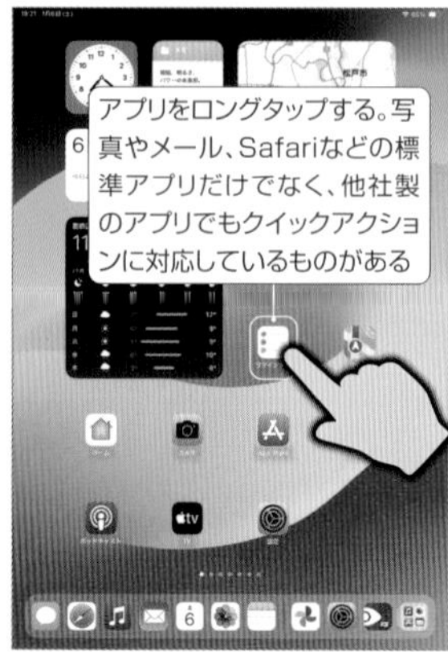
アプリをロングタップする。写真やメール、Safariなどの標準アプリだけでなく、他社製のアプリでもクイックアクションに対応しているものがある

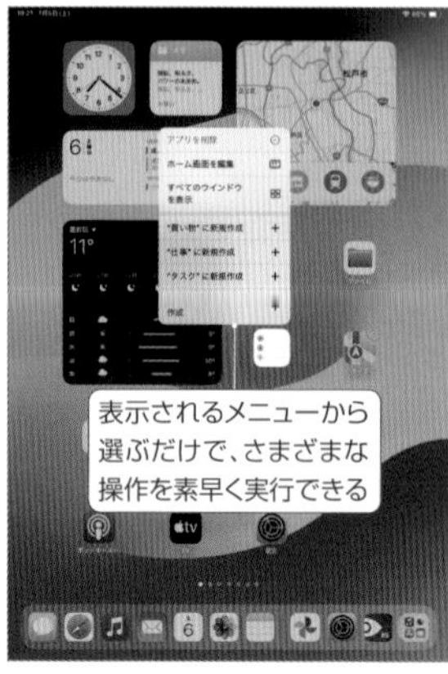
表示されるメニューから選ぶだけで、さまざまな操作を素早く実行できる

基本

037 スクリーンショットを撮影してみよう 表示されている画面をそのまま写真として保存する

本体操作

表示されている画面を撮影し、そのまま画像として保存できる「スクリーンショット」機能。たとえば、ネットで見つけた気になるニュースやおすすめの商品を家族や友人に教えたい場合、URLで送るよりも見たままの画像で送った方が伝わりやすい。時刻表やマニュアルを自分用のメモとして保存しておくのも便利だ。スクリーンショットの撮影方法は、ホームボタンのない機種とある機種で操作が異なるので気をつけよう。撮影すると、保存された画面が左下に小さく数秒間表示されたのち消える。消える前にタップすると、画像への書き込み画面を利用できる。スクリーンショットもカメラで撮影した写真同様、写真アプリに保存される。

ホームボタンなし

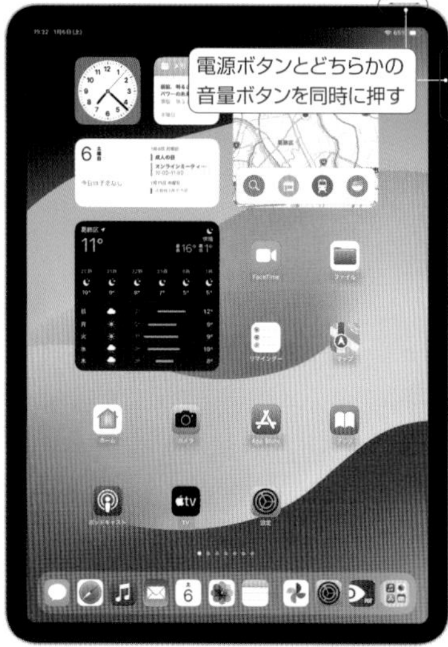
電源ボタンとどちらかの音量ボタンを同時に押す

ホームボタンのないiPadでは、電源ボタンとどちらかの音量ボタンを同時に押すことで、スクリーンショットを撮影できる。

ホームボタンあり

電源ボタンとホームボタンを同時に押す

ホームボタンのあるiPadでは、電源ボタンとホームボタンを同時に押すことで、スクリーンショットを撮影できる。

上にスワイプしてロック解除

18:53

SECTION 2

アプリの操作ガイド

メールやSafari、カメラなど、
iPadにはじめから用意されているアプリの使い方を
詳しく解説。メールの送受信やネットでの調べ物、
写真やビデオの撮影方法などを
すぐにマスターできる。また、XやYouTubeなど
人気アプリの始め方や使い方もしっかり解説。

アプリ

038 iPadにメールアカウントを追加しよう iPadでメールを送受信する

（メール）

普段使っている自宅や会社のメールは、iPadに最初から用意されている「メール」アプリで送受信できる。使いたいアドレスが「Gmail」や「Yahoo! メール」などの主要なメールサービスであれば、メールアドレスとパスワードを入力するだけで簡単に設定が終わるが、その他のメールを送受信できるようにするには、送受信サーバーの入力を自分で行う必要がある。あらかじめ、プロバイダや会社から指定されたメールアカウント情報を手元に準備しておこう。メールの受信方法に「POP3」と書いてあれば「POP3」を、「IMAP」と書いてあれば「IMAP」をタップして設定を進めていく。

「設定」でメールアカウントを追加する

1 設定でアカウント追加画面を開く

メールアプリで送受信するアカウントを追加するには、まず「設定」アプリを起動し、「メール」→「アカウント」→「アカウントを追加」をタップ。アカウント追加画面が表示される。

2 主なメールサービスを追加するには

「Gmail」や「Yahoo! メール」などの主要なメールサービスは、「Google」「yahoo!」などそれぞれの項目をタップして、メールアドレスとパスワードを入力すれば、簡単に追加できる。

3 会社のメールなどは「その他」から追加

タップ

会社のメールや自宅のプロバイダメールを追加するには、アカウント追加画面の一番下にある「その他」をタップし、続けて「メールアカウントを追加」をタップしよう。

4 メールアドレスとパスワードを入力する

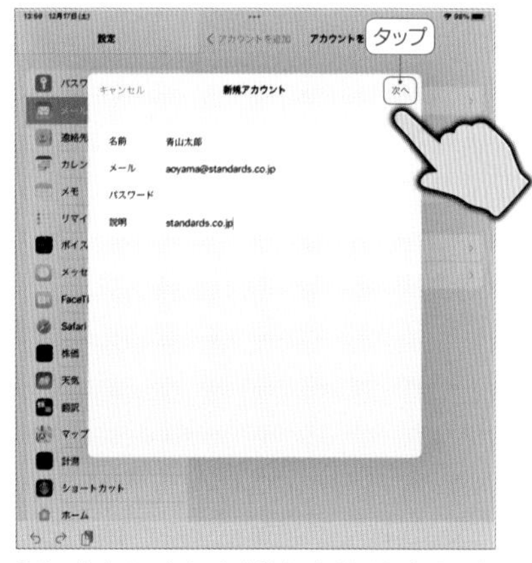
タップ

「その他」でアカウントを追加するには、自分で必要な情報を入力していく必要がある。まず、名前、自宅や会社のメールアドレス、パスワードを入力し、右上の「次へ」をタップ。

5 受診方法を選択しサーバ情報を入力

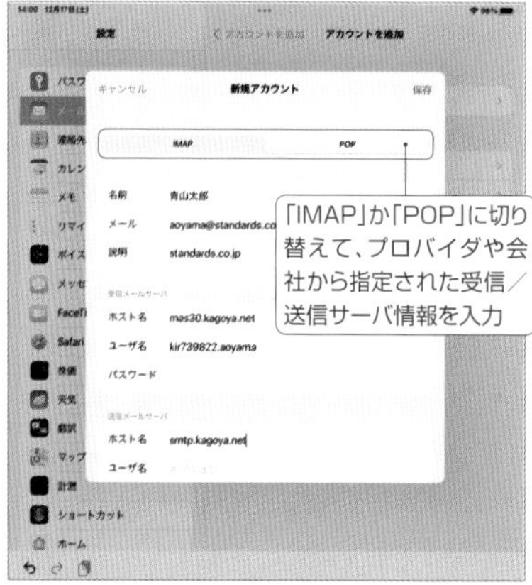
「IMAP」か「POP」に切り替えて、プロバイダや会社から指定された受信／送信サーバ情報を入力

受信方法は、対応していればIMAPがおすすめだが、ほとんどの場合はPOPで設定する。プロバイダや会社から指定された、受信および送信サーバ情報を入力しよう。

6 メールアカウントの追加を確認

アカウントを確認

サーバとの通信が確認されると、元の「アカウント」画面に戻る。追加したメールアカウントがアカウント一覧に表示されていれば、メールアプリで送受信可能になっている。

メールアプリで新規メールを作成して送信する

1 新規作成ボタンをタップする

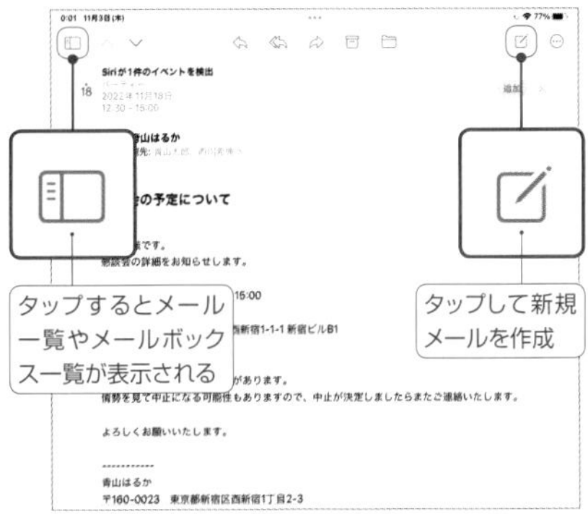
タップするとメール一覧やメールボックス一覧が表示される
タップして新規メールを作成

新規メールを作成するには、メール本文画面の右上にあるボタンをタップしよう。左上のボタンをタップすると、サイドバーでメール一覧やメールボック一覧が表示される。

2 メールの宛先を入力する

新規メッセージ
名前やアドレスを入力
タップして候補から選択

「宛先」欄にアドレスを入力する。または、名前やアドレスの一部を入力すると、連絡先(No042で解説)に登録されている宛先の候補が表示されるので、これをタップして宛先に追加する。

3 複数の相手に同じメールを送信する

新規メッセージ
宛先: 青山はるか 西川希典 石田花子
複数の宛先を設定

複数の相手に同じメールを送りたいときは、宛先を入力して一度リターンキーをタップしよう。自動的に宛先が区切られて、他の宛先を追加で入力することができる。

4 宛先にCc／Bcc欄を追加する

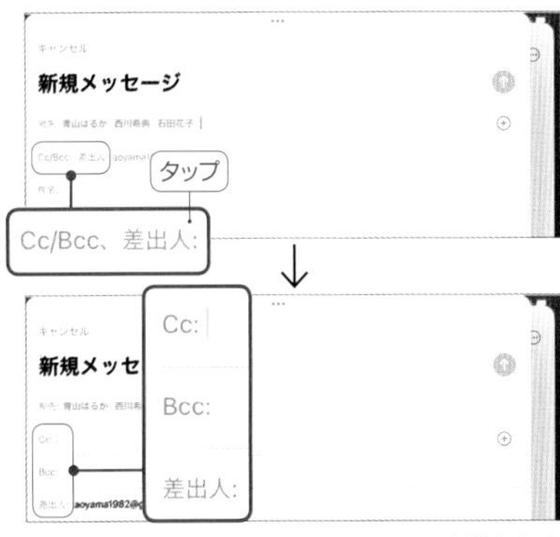
新規メッセージ
タップ
Cc/Bcc、差出人:
Cc:
Bcc:
差出人:

複数の相手にCcやBccで同じメールを送信したい場合は、宛先欄の下「Cc/Bcc,差出人」欄をタップしよう。Cc、Bcc、差出人欄が個別に開いて宛先を入力できる。

5 差出人アドレスを変更する

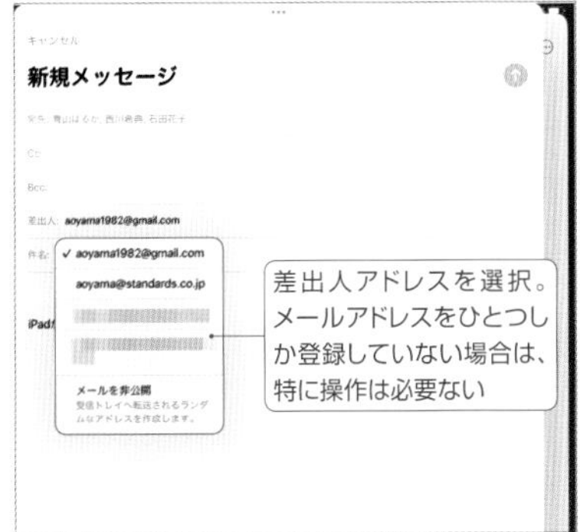
新規メッセージ
差出人アドレスを選択。メールアドレスをひとつしか登録していない場合は、特に操作は必要ない

アカウントを複数追加しており、差出人アドレスを変更したい場合は、「差出人」欄をタップしよう。追加済みのアカウント一覧から差出人アドレスを選択できる。

6 件名や本文を入力して送信する

会議時間の変更について
タップして送信

件名と本文を入力し、右上の送信ボタンをタップすれば送信できる。なお、作成途中で「キャンセル」→「下書きを保存」をタップすると、下書きメールボックスに保存しておける。

メールアプリで受信したメールを読む／返信する

1 メール一覧で読みたいメールをタップする

全受信
読みたいメールをタップ
下にスワイプすると最新のメールを受信できる

メール本文画面の左上にあるボタンをタップすると、サイドバーでメール一覧が開く。受信したメールが新着順に表示されるので、読みたいメールをタップしよう。

2 メール本文の表示画面

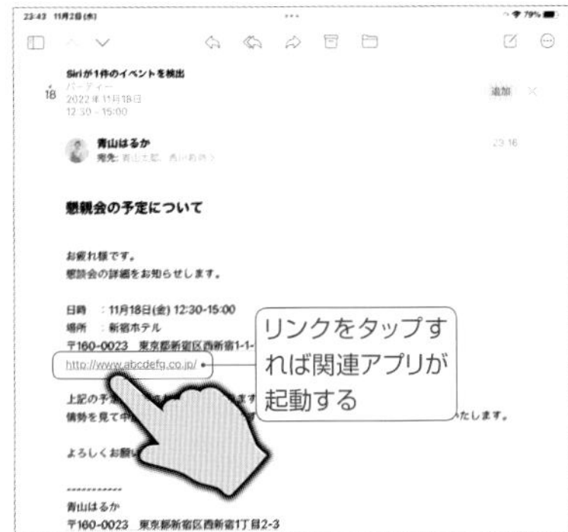
懇親会の予定について
リンクをタップすれば関連アプリが起動する

読みたいメールをタップすると内容が表示される。住所や電話番号はリンク表示になり、タップするとブラウザやマップが起動したり、FaceTimeを発信できる。

3 返信メールを作成して送信する

タップ

右下の矢印ボタンをタップすると、メールの「返信」「全員に返信」「転送」を行える。「ゴミ箱に入れる」でメールを削除したり、「フラグ」で重要なメールに印を付けることもできる。

アプリ 039

(メッセージ)

メッセージアプリを利用しよう iPhoneやiPadとメッセージをやり取りする

iPadで「メッセージ」アプリを使うと、「iMessage」というサービスを利用してメッセージをやり取りできる。iMessageは、iPhoneやiPad、Macユーザーを相手に、無料でテキストや写真、ビデオ、ステッカー(LINEスタンプのようなイラスト)などを送受信できるサービスだ。宛先は、相手がiMessageの受信アドレスとして設定しているメールアドレス(Apple ID)か、またはiPhoneの電話番号になる。宛先に入力したアドレスや名前が青文字で表示されていれば、iMessageで送信可能なアドレスだ。相手がAndroidスマートフォンだとiMessageは送信できないので注意しよう。

メッセージアプリでiMessageをやり取りする

1 iMessageを使える状態にする

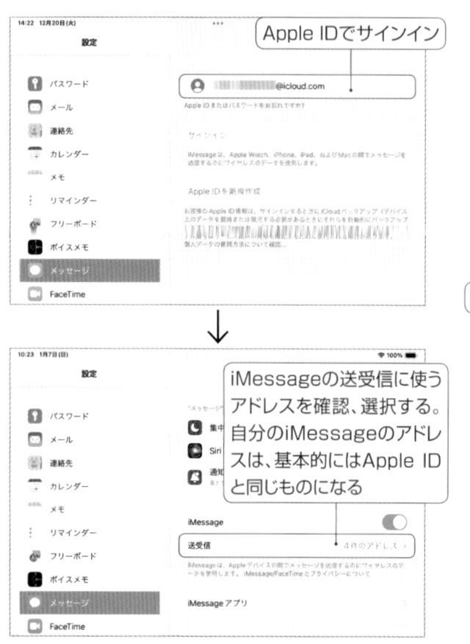

Apple IDでサインイン
iMessageの送受信に使うアドレスを確認、選択する。自分のiMessageのアドレスは、基本的にはApple IDと同じものになる

「設定」→「メッセージ」を開いてApple IDでサインイン。「iMessage」をオンにしておけば利用できる。また、「送受信」をタップしてiMessageで利用する送受信アドレスを確認しておこう。

2 iMessageを作成する

宛先: 青山太郎
宛先のアドレスが青文字であることを確認
タップして新規メッセージを作成する

メッセージアプリを起動し、左欄上部のボタンをタップすると新規メッセージの作成画面が開く。宛先欄に入力したアドレスや名前が青文字になっていれば、その相手にiMessageを送信できる

3 メッセージを入力して送信する

タップして送信

メッセージの文章を入力して「↑」ボタンをタップすると送信できる。やり取りしたメッセージは会話形式で表示され、写真やビデオを送信したり(No043で解説)、ステッカーも送信できる。

オススメ操作

会話が楽しくなるステッカーを使ってみよう

iMessageでは、LINEスタンプのような「ステッカー」を送信しあってやり取りを楽しく彩ることもできる。ステッカーはメッセージ入力欄左の「+」→「その他」→「ストア」からアプリと同様の手順(No014とNo015で解説)で入手できる。まずは無料のステッカーを入手して使ってみよう。「+」→「ステッカー」をタップすると入手したステッカーが一覧表示され、タップして送信できる。

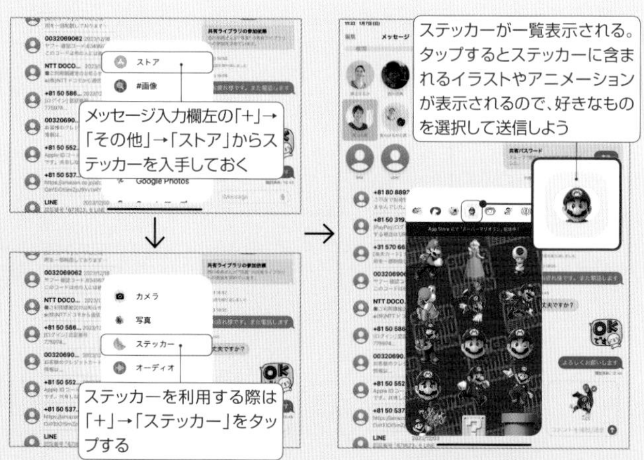

メッセージ入力欄左の「+」→「その他」→「ストア」からステッカーを入手しておく
ステッカーを利用する際は「+」→「ステッカー」をタップする
ステッカーが一覧表示される。タップするとステッカーに含まれるイラストやアニメーションが表示されるので、好きなものを選択して送信しよう

アプリ 040 (メール)

送られてきた写真やURLを開くには メールやメッセージで送られてきた情報を見る

メールやメッセージに画像が添付されていると、メール本文を開いた時に縮小表示され、これをタップすれば大きく表示できる。その他のPDFやZIPファイルなどは、「タップしてダウンロード」でダウンロードすることで、ファイルの中身を確認できるようになる。また、メールやメッセージに記載されたURLやメールアドレス、住所などは、自動的にリンク表示になり、タップすることで、Safariやメール、マップなどの対応アプリが起動する。ただし、下記で注意しているように、迷惑メールやフィッシングメールの可能性もあるので、リンクを不用意に開かないようにしよう。

添付されたファイルやURLを開く

1 添付された画像を開く

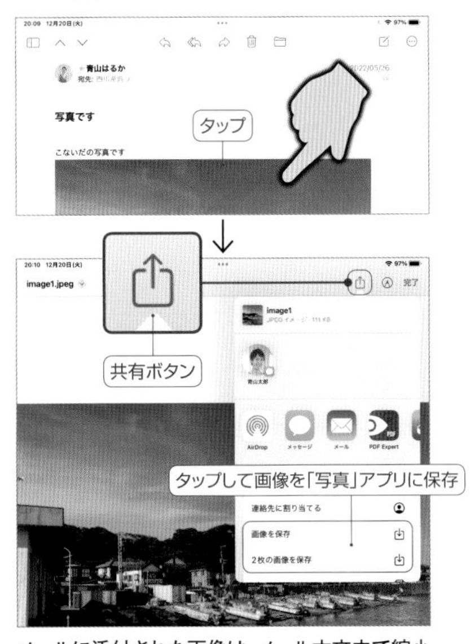

タップ
共有ボタン
タップして画像を「写真」アプリに保存

メールに添付された画像は、メール本文内で縮小表示される。これをタップすると画像が大きく表示される。また、右上の共有ボタンから画像の保存などの操作を行える。

2 添付されたその他ファイルを開く

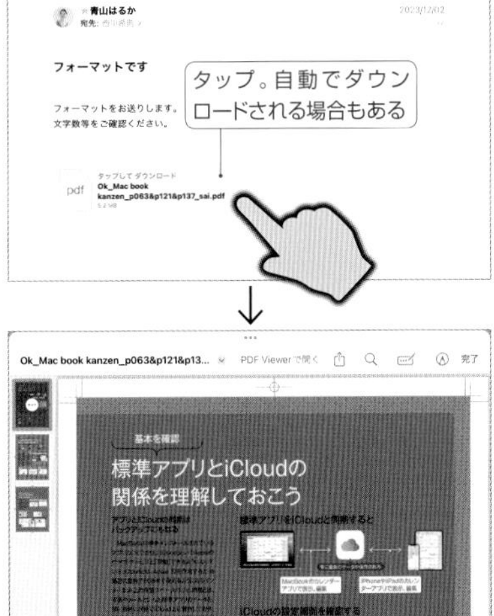

タップ。自動でダウンロードされる場合もある

メールに添付されたPDFなどのファイルは、「タップしてダウンロード」でダウンロードしよう。ダウンロードが済んだら、再度タップすることでファイルの中身を開いて確認できる。

3 メッセージ内のURLなどを開く

リンクをタップすると、Safariや対応アプリが起動してリンク先を開く

メールやメッセージに記載された、URLや住所、メールアドレスなどは、自動的にリンク表示になる。これをタップすると、Safariやマップ、メールなど対応するアプリが起動する。

こんなときは?

カード情報などを盗むフィッシングメールに注意

ショップやメーカーの公式サイトからのメールになりすまして、メール内のURLから偽サイトに誘導し、そこでユーザーIDやパスワード、クレジットカード情報など入力させて盗み取ろうとする詐欺メールを「フィッシングメール」という。「第三者からのアクセスがあったので確認が必要」などと不安を煽ったり、購入した覚えのない商品の確認メールを送ってキャンセルさせるように仕向け、偽のサイトでIDやパスワードを入力させるのが主な手口だ。メールの日本語がおかしかったり、送信アドレスが公式のものと全く違うなど、少し気を付ければ詐欺と分かるメールもあるが、中には公式メールやサイトと全く区別の付かない手の混んだものもある。メールに記載されたURLは不用意にタップせず、メールの件名や送信者名で一度ネット検索して、本物のメールか判断するクセを付けておこう。

vdqxfooj@yodobashi.com

差出人のアドレスが明らかにおかしい場合などは分かりやすいが、アドレスや書面が公式のものと区別の付かない詐欺メールも多い。身に覚えがなかったり少しでも違和感があれば、メールに記載されたURLには決してアクセスしないようにしよう

アプリ 041 (FaceTime)

無料の通話アプリFaceTimeを使ってみよう

iPadやiPhone相手に無料通話を利用する

iPadには「FaceTime」という通話アプリが標準搭載されており、LINEのような音声通話やビデオ通話機能を無料で使える。利用にはネット接続が必要だが、セルラーモデルのiPadであればモバイルデータ通信を使って外出先でも通話が可能だ。通話したい相手がiPhoneやiPad、Macユーザーであれば、「新しいFaceTime」をタップし、相手のメールアドレス(Apple ID)かiPhoneの電話番号を宛先にして発信しよう。自分の表情に合わせて動く「ミー文字」など、多彩な機能を使って通話ができる。下の囲み記事の通り、相手がAndroidやWindowsユーザーの場合でも、一部の機能は制限されるものの通話が可能だ。

iPhoneやiPad、MacユーザーとFaceTimeで通話する

1 FaceTimeを使える状態にする

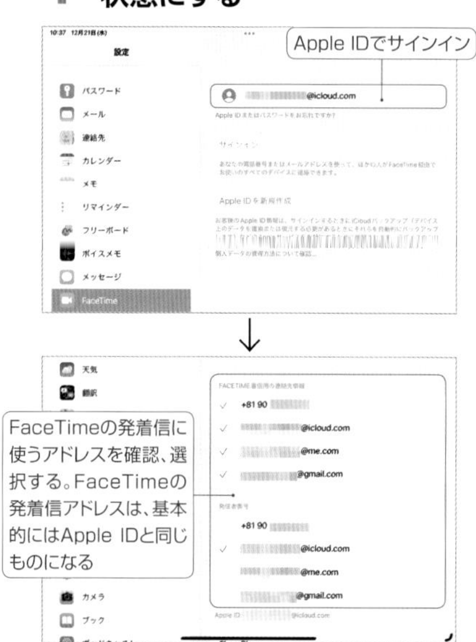
Apple IDでサインイン
FaceTimeの発着信に使うアドレスを確認、選択する。FaceTimeの発着信アドレスは、基本的にはApple IDと同じものになる

「設定」→「FaceTime」を開いてApple IDでサインイン。「FaceTime」をオンにしておけば利用できる。また、「FACETIME着信用の連絡先情報」や「発信者番号」で発着信に使うものを選択しておこう。

2 FaceTimeを発信する

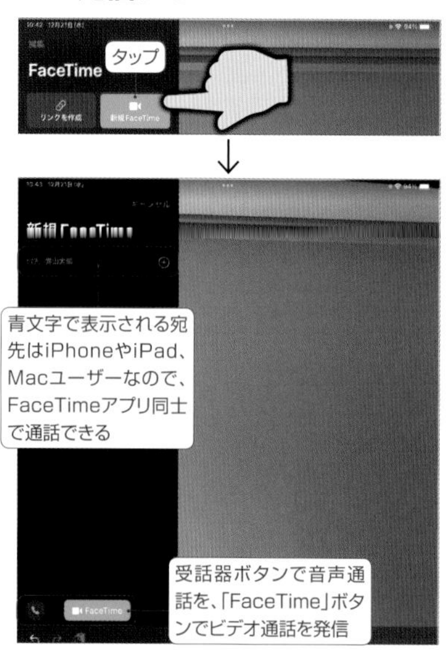
FaceTime
タップ
新規FaceTime
青文字で表示される宛先はiPhoneやiPad、Macユーザーなので、FaceTimeアプリ同士で通話できる
受話器ボタンで音声通話を、「FaceTime」ボタンでビデオ通話を発信

FaceTimeを起動し「新規FaceTime」をタップ。宛先欄に入力したアドレスや名前が青文字なら、相手はiPhoneやiPad、Macだ。受話器ボタンで音声通話を、「FaceTime」ボタンでビデオ通話を発信できる。

3 無料でビデオや音声通話を行える

通話中は画面をタップすると各種ボタンが表示される
「×」をタップすると通話を終了する

「ミー文字」で自分の顔をアニメーションにしたり、「SharePlay」で音楽や動画を一緒に楽しむなど、FaceTimeならではの機能を使って通話ができる。

こんなときは?

AndroidやWindowsと通話する

FaceTimeでは、WindowsやAndroidユーザーとも無料で音声通話やビデオ通話ができるので、オンラインミーティングなどに活用しよう。「新規FaceTime」ではなく「リンクを作成」をタップして通話のリンクを作成し、メールなどで通話リンクを送信すると、相手はWebブラウザを使って、ログイン不要で通話に参加できる。ただし、Webブラウザで通話するとミー文字など一部の機能は使えない。

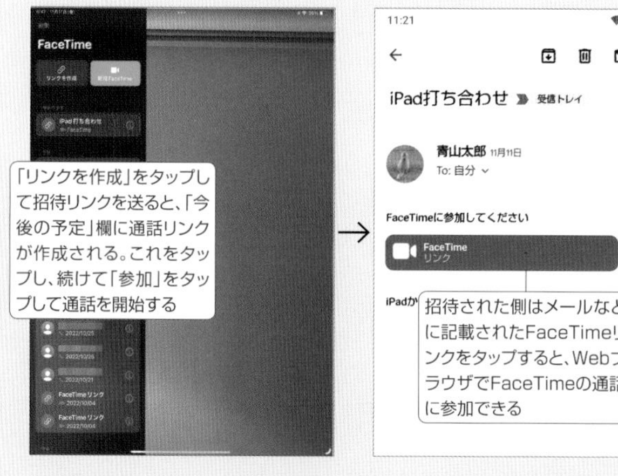
FaceTime
「リンクを作成」をタップして招待リンクを送ると、「今後の予定」欄に通話リンクが作成される。これをタップし、続けて「参加」をタップして通話を開始する
11:21
88%
iPad打ち合わせ
受信トレイ
青山太郎 11月11日
To: 自分
FaceTimeに参加してください
FaceTime リンク
招待された側はメールなどに記載されたFaceTimeリンクをタップすると、WebブラウザでFaceTimeの通話に参加できる

アプリ

042

連絡先

電話番号やメールアドレスをまとめて管理

友人や知人の連絡先を登録しておく

「連絡先」アプリを使って、名前や電話番号、住所、メールアドレスなどを登録しておけば、iPadで連絡先をまとめて管理できる。連絡先に登録済みの電話番号やメールアドレスからFaceTime着信があった際は、着信画面に名前が表示され、誰からかかってきたかひと目で分かる。またメールやメッセージの宛先を入力する際も、連絡先に登録済みの名前やアドレスの一部を入力するだけで、メールアドレスの候補から選択して宛先に追加できるので、友人知人の連絡先情報はすべて連絡先アプリに登録しておこう。連絡先アプリからFaceTimeを発信したりメールやメッセージを送信することも可能だ。

連絡先の新規作成と編集

1 新規連絡先を作成する

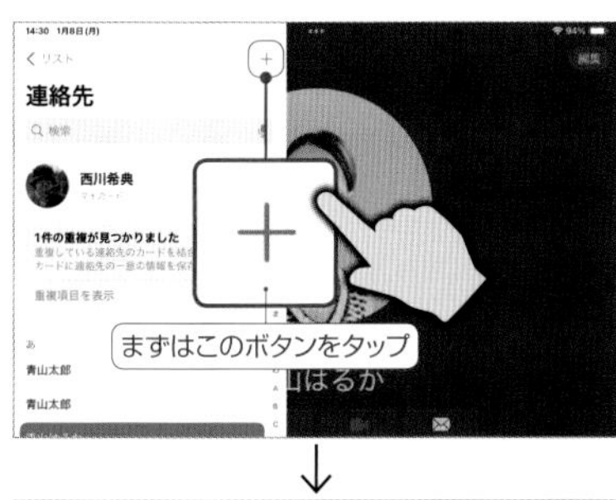

まずはこのボタンをタップ

神山
完了
タップ

サイドバーの上部にある「＋」ボタンをタップすると、新しい連絡先を作成できる。名前や電話番号、住所、メールアドレスなどを入力し、最後に「完了」をタップすれば保存できる。

2 複数の電話番号やメールを追加する

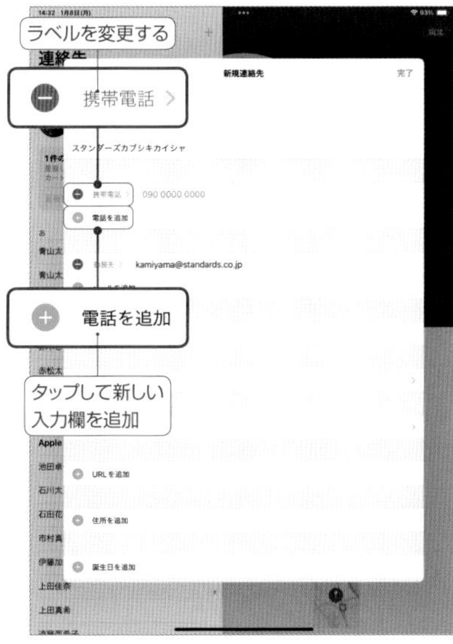

ラベルを変更する
携帯電話
電話を追加
タップして新しい入力欄を追加

「電話を追加」や「メールを追加」をタップすると、それぞれ入力欄が追加されるので、複数の電話番号やメール、住所を入力できる。また「自宅」や「勤務先」などのラベルも変更できる。

3 登録済みの連絡先を編集する

編集
タップ
青山はるか

登録済みの連絡先を編集したい場合は、連絡先の詳細画面を開いて、右上の「編集」をタップすればよい。編集モードになり、内容を変更したり連作先を削除できる。

こんなときは?

誤って削除した連絡先を復元する

誤って連絡先を削除した時は、SafariでiCloud.com(https://www.icloud.com/)にアクセスしよう。Apple IDでサインインを済ませて下の方にスクロールし、「データの復旧」→「連絡先を復元」をタップすると、連絡先を復元可能なアーカイブが一覧表示される。あとは復元したい日時を選んで「復元」をタップすれば、その時点の連絡先に復元され、削除した連絡先も元通りに戻る。

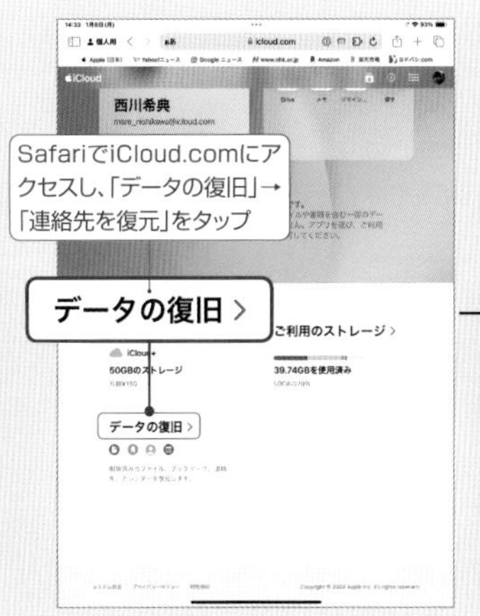

SafariでiCloud.comにアクセスし、「データの復旧」→「連絡先を復元」をタップ
データの復旧 >
ご利用のストレージ >

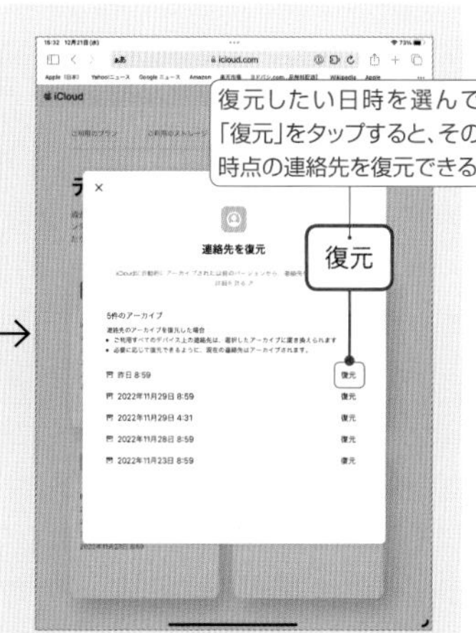

復元したい日時を選んで「復元」をタップすると、その時点の連絡先を復元できる
復元

アプリ

043 ファイルの添付方法を知っておこう メールやメッセージで写真や動画を送信する

（メール）

メールで写真やビデオを送りたいときは、本文内のカーソルをタップして「写真またはビデオを挿入」や「ファイルを添付」で添付しよう。キーボード上部のショートカットボタンから添付してもよい。メッセージの場合は、相手がiPhoneやiPad、Macの場合のみ、iMessageで画像やビデオを送信できる。メッセージ入力欄左の「+」→「写真」から添付しよう。なお、メールに添付したファイルサイズが大きすぎる場合は、送信ボタンをタップした際に「Mail Dropを使用」が表示される。この機能を使うと、ファイルを一時的にiCloud上に保存し、相手には30日以内ならいつでもファイルをダウンロード可能なリンクのみを送信できる。

1 メールで写真やビデオを送信する

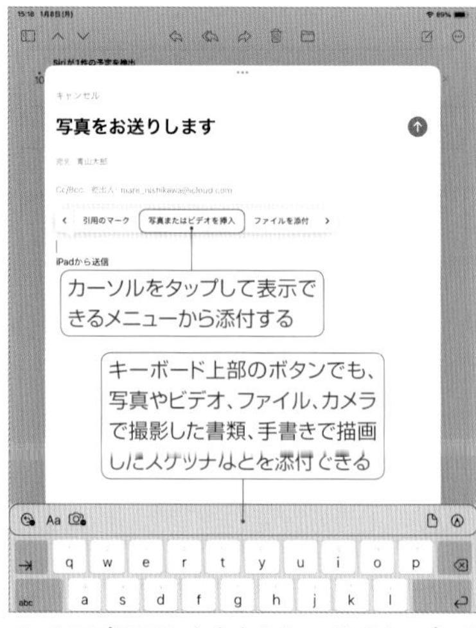
写真をお送りします
引用のマーク
写真またはビデオを挿入
ファイルを添付
iPadから送信
カーソルをタップして表示できるメニューから添付する
キーボード上部のボタンでも、写真やビデオ、ファイル、カメラで撮影した書類、手書きで描画したスケッチなどを添付できる

メールアプリでは、本文内のカーソルをタップして表示されるメニューや、キーボード上部のボタンから写真やビデオを添付できる。

2 メッセージで写真やビデオを送信する

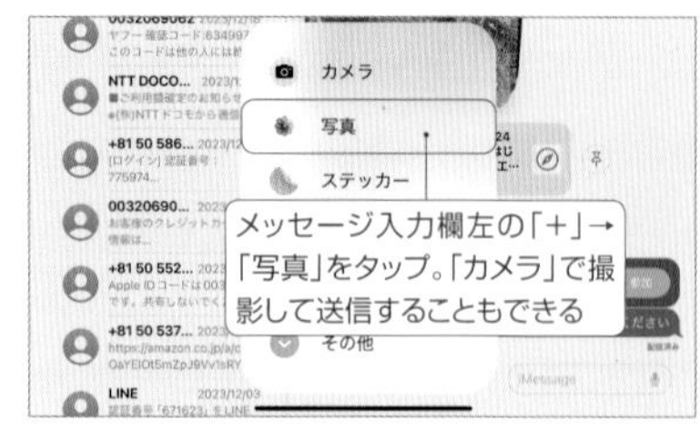
カメラ
写真
ステッカー
その他
メッセージ入力欄左の「＋」→「写真」をタップ。「カメラ」で撮影して送信することもできる

送信する写真やビデオを選択
オプション
3枚の写真を選択中

メッセージでは、相手がiPhoneやiPad、Macの場合のみ、メッセージ入力欄左の「+」→「写真」から写真やビデオを送信できる。

アプリ

044 SafariでWebサイトを検索しよう インターネットで調べものをする

（Safari）

インターネットで何か調べものをしたい時は、標準のWebブラウザアプリ「Safari」を使おう。Safariを起動したら、画面上部のアドレスバーをタップ。このアドレスバーは検索ボックスとしての機能も備えているので、キーワードを入力してリターンキーをタップするとGoogleでの検索結果が表示される。また、キーワードの入力中は、アドレスバーの下部に関連した検索候補が表示されるので、ここから選んでタップしてもよい。検索結果のリンクをタップすると、そのリンク先にアクセスし、Webページを開くことができる。Webページを開いたら、画面左上にある「<」「>」ボタンで前のページに戻ったり次のページに進むことができる。

1 キーワードを入力して検索する

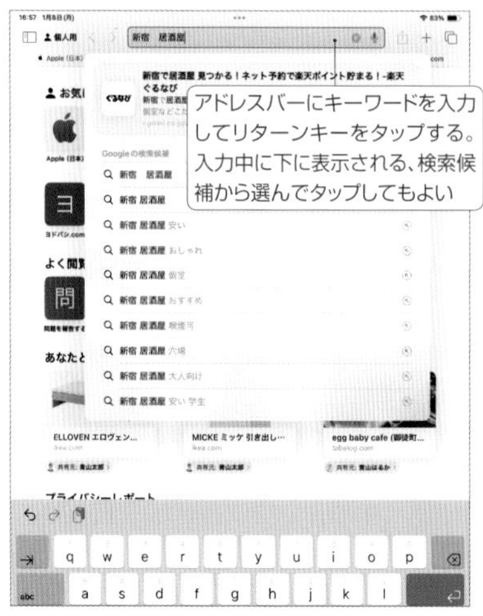
新宿 居酒屋
アドレスバーにキーワードを入力してリターンキーをタップする。入力中に下に表示される、検索候補から選んでタップしてもよい

Safariを起動したら、画面上部のアドレスバーをタップして調べたい語句を入力し、キーワード検索しよう。

2 検索結果からWebページを開く

タップしてリンク先を開く

Googleでの検索結果が表示される。開きたいページのリンクをタップすると、リンク先のWebページが表示される。

アプリ

045 複数のタブを開いて切り替えよう サイトをいくつも同時に開いて見る

Safari

Safariには、複数のサイトを同時に開いて表示の切り替えができる、「タブ」機能が備わっている。画面右上の「+」ボタンをタップすると新しいタブが開き、別のWebページを閲覧することが可能だ。例えば、ニュースを読んでいて気になった用語を新しいページで調べたり、複数のショッピングサイトで価格を比較するなど、今見ているページを残したままで別のWebページを見たい時に便利なので、操作方法を覚えておこう。タブを開きすぎて何のタブが分かりづらくなったら、右上のタブボタン(四角が重なったボタン)をタップしてみよう。現在開いているタブが一覧表示され、サムネイルで画面を確認しながら表示を切り替えできる。

1 新しいタブを開く

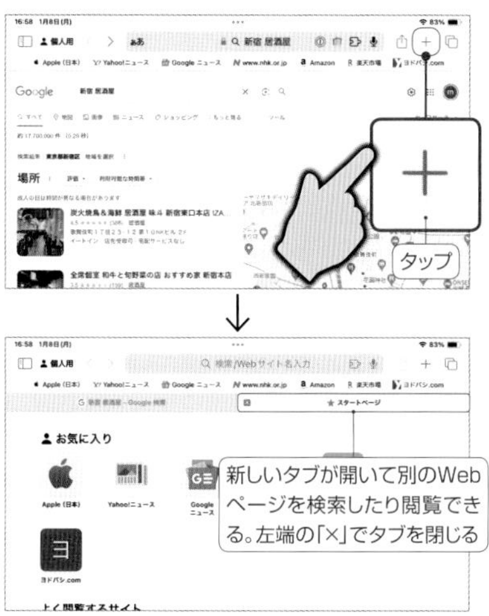
タップ
新しいタブが開いて別のWebページを検索したり閲覧できる。左端の「×」でタブを閉じる

画面右上の「+」ボタンをタップすると新しいタブが開く。開いている他のタブをタップすると表示を切り替えできる。

2 開いているタブを一覧表示する

タップ
サムネイルをタップすると、このタブに表示を切り替えできる。右上の「×」でタブを閉じる

右上のタブボタンをタップすると、現在開いているタブがサムネイルで一覧表示され、画面を確認しながら表示を切り替えできる。

アプリ

046 自動補完された部分は削除する アドレスが自動で入力されて困る場合は

Safari

アドレスバーにアルファベットを入力すると、閲覧履歴に残っているURLが自動で補完されて入力されることがある。リターンキーを押せばすぐにそのURLのWebサイトが開いて便利だが、普通にキーワードとして入力したい場合は、一度削除キーをタップしよう。補完されたURLの残り部分が削除されるので、入力した文字だけでGoogle検索ができる。

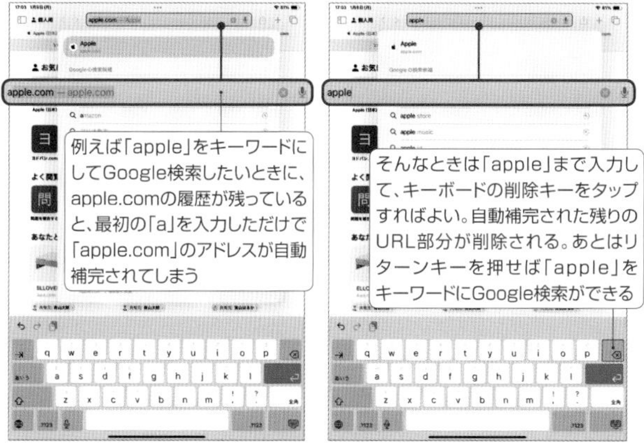
例えば「apple」をキーワードにしてGoogle検索したいときに、apple.comの履歴が残っていると、最初の「a」を入力しただけで「apple.com」のアドレスが自動補完されてしまう
そんなときは「apple」まで入力して、キーボードの削除キーをタップすればよい。自動補完された残りのURL部分が削除される。あとはリターンキーを押せば「apple」をキーワードにGoogle検索ができる

アプリ

047 最近閉じたタブから開き直そう 誤ってタブを閉じてしまったときは

Safari

Safariで不要なタブを閉じて整理していると、うっかり必要なタブまで閉じてしまう事がある。そんなときは、新規タブ作成ボタン(「+」ボタン)をロングタップしてみよう。「最近閉じたタブ」画面が表示され、今まで閉じたタブが一覧表示される。ここから誤って閉じたタブを探してタップすれば、再度新しいタブで開き直すことが可能だ。

右上の「+」ボタンをロングタップする
「最近閉じたタブ」が一覧表示される。誤って閉じたタブを探してタップすると、新規タブで開き直すことができる

アプリ
048 リンク先を新しいタブで開こう リンクをタップして別のサイトを開く

Safari

Webページ内のリンクをタップすると、今見ているページがリンク先のページに更新されてしまう。今見ているページを残したまま、リンク先のページを別のタブで見たい時は、リンクをロングタップしてメニューから「バックグラウンドで開く」をタップしよう。リンク先のWebページが新しいタブで開かれる。このとき、新しく開いたタブに表示が切り替わらず、今見ているページはそのままでリンク先のタブをどんどん追加できるので、ニュースサイトなどで気になる記事だけをピックアップして新しいタブで開いておき、あとでまとめて読むといった操作が可能だ。

1 リンクをロングタップする

ロングタップ

今見ているページはそのままに、リンク先のWebページを新しいタブで開きたい場合は、リンクをロングタップしよう。

2 バックグラウンドで開くをタップ

バックグラウンドで開く
「バックグラウンドで開く」をタップ。なお、「設定」→「Safari」→「新規タブをバックグラウンドで開く」がオフのときは「新規タブで開く」ボタンになる。この場合はタップするとリンク先のWebページが新しいタブで開き、すぐにそのページの表示に切り替わる

「バックグラウンドで開く」をタップすると、今見ているページはそのままで、リンク先のWebページが新しいタブで開かれる。

アプリ
049 いつものサイトに素早くアクセス よくみるサイトをブックマークしておく

Safari

よくアクセスするWebサイトがあるなら、そのサイトをSafariのブックマークに登録しておこう。よく見るサイトを開いたら、右上の共有ボタンから「ブックマークを追加」をタップ。「場所」欄をタップすれば、ブックマークの保存先フォルダを変更できる。あとは右上の「保存」をタップすればブックマークへの登録は完了だ。左上のボタンをタップしてサイドバーを開き「ブックマーク」をタップすると、保存したブックマークが一覧表示され、タップするだけで素早くそのサイトにアクセスできる。なお、ブックマーク一覧の右下にある「編集」をタップすると、ブックマークの削除や並べ替え、保存先フォルダの新規作成などを行える。

1 表示中のサイトをブックマークに追加

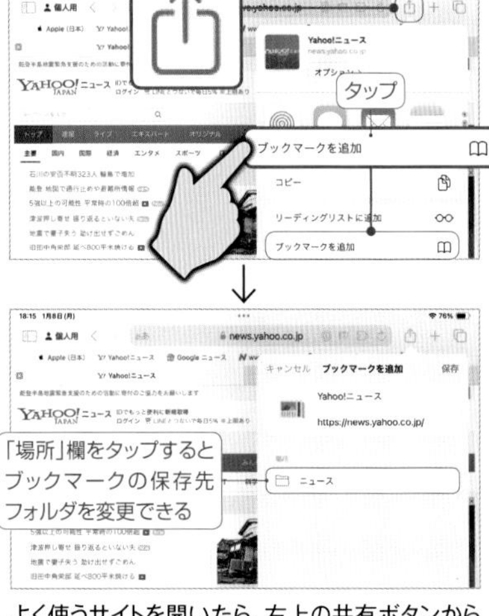

タップ
ブックマークを追加
「場所」欄をタップするとブックマークの保存先フォルダを変更できる

よく使うサイトを開いたら、右上の共有ボタンから「ブックマークを追加」→「保存」をタップしてブックマーク登録しておく。

2 ブックマークにアクセスする

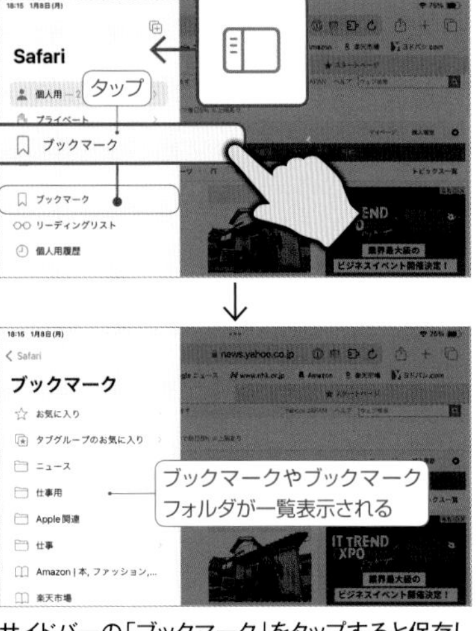

タップ
ブックマーク
ブックマークやブックマークフォルダが一覧表示される

サイドバーの「ブックマーク」をタップすると保存したブックマークが一覧表示され、タップするだけで素早くアクセスできる。

アプリ 050 (Safari)

ワンタップでログインできる パスワードの自動入力機能を利用する

SafariでWebサービスにログインすると、「このパスワードをiCloudキーチェーンに保存しますか?」と確認メッセージが表示される。この画面で「パスワードを保存」をタップしておけば、入力したIDとパスワードが記憶され、次回からはワンタップでIDとパスワードを自動入力してログインできるようになる。保存したIDとパスワードを確認したいときは、「設定」→「パスワード」をタップしよう。Face IDやTouch ID、パスコードで認証すれば、保存済みのアカウントが一覧表示される。また、アカウントを選択して「編集」をタップすると、黒丸で隠されているパスワードを表示できる。

Webサービスに自動ログインする手順

1 パスワード自動入力をオンにする

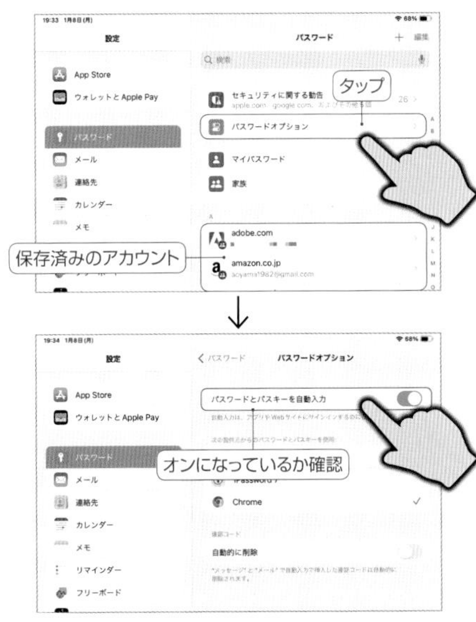
タップ
保存済みのアカウント
オンになっているか確認

まず「設定」→「パスワード」を開き(Face IDやTouch ID、パスコードで認証が必要)、「パスワードオプション」→「パスワードとパスキーを自動入力」がオンになっているか確認しよう。

2 ログインに使ったパスワードを保存する

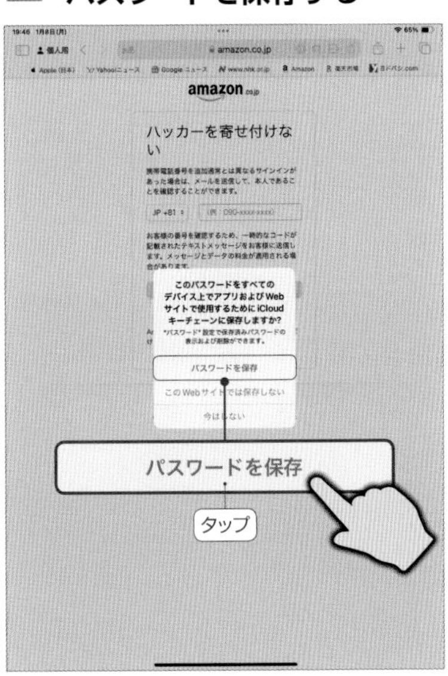
パスワードを保存
タップ

SafariでWebサービスにログインすると、パスワードを保存するか確認画面が表示される。「パスワードを保存」をタップすると、入力したIDとパスワードが保存される。

3 保存したパスワードで自動ログインする

タップして自動入力。保存済みのアカウントから最適と判断された候補が表示される
"aoyama1982@gmail.com" を使用

次回以降にWebサービスのログイン欄をタップすると、保存したアカウントの候補が表示される。これをタップするだけで、IDやパスワードを自動入力して素早くログインできる。

こんなときは?

保存済みの別のアカウントでログインする

保存したアカウントがひとつなら問題ないが、同じWebサービスで複数のアカウントを使い分けている場合などは、ログインしたいアカウントと異なるアカウントが候補に表示されることがある。そんなときは、右下の鍵ボタンをタップしよう。その他の保存済みアカウントが一覧表示されるので、ログインに使いたいアカウントをタップすれば、そのIDとパスワードで自動ログインできる。

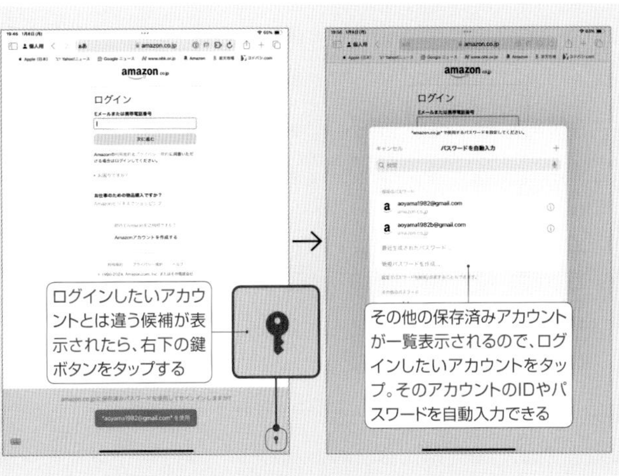
ログインしたいアカウントとは違う候補が表示されたら、右下の鍵ボタンをタップする
その他の保存済みアカウントが一覧表示されるので、ログインしたいアカウントをタップ。そのアカウントのIDやパスワードを自動入力できる

アプリ

051 iPadで写真を撮影する

カメラ

標準のカメラアプリで写真を撮ってみよう

写真を撮影したいのであれば、標準の「カメラ」アプリを利用しよう。カメラアプリを起動したらカメラモードを「写真」に設定。あとは被写体にiPadを向けてシャッターボタンを押すだけだ。iPadのカメラは非常に優秀で、オートフォーカスで自動的にピントを合わせ、露出も最適な状態に自動調節してくれる。ピントや露出が好みの状態でなければ、画面内をタップして基準点を指定しよう。その場所を基準としてピントや露出が自動調節される。また、自撮りをする場合は、前面カメラに切り替えて撮影すればいい。なお、カメラ起動中は、本体側面の音量ボタンでもシャッターが切れる。

カメラアプリで写真を撮影してみよう

1 カメラモードを「写真」に合わせる

上下にスワイプしてカメラモードを「写真」に合わせる
写真

カメラアプリを起動したら、まずカメラモードが「写真」になっていることを確認しよう。「ビデオ」や「ポートレート」になっている場合は、上下にスワイプして「写真」を選択する。

2 シャッターボタンをタップして写真を撮影

タップして写真を撮影する。シャッターは音量ボタンでも押せる。撮影した写真は「写真」アプリ(No055で解説)に保存される
タップすると直前に撮影した写真が表示される

ピントと露出は自動で調整されるので、あとはシャッターボタンをタップすれば写真を撮影できる。シャッターボタン下の小さな画像をタップすると、直前に撮影した写真をすぐに確認できる。

3 前面側のカメラを使って撮影する

タップしてカメラを切り替える

画面右下のボタンで前面側カメラに切り替えれば、画面を見ながら自撮りが可能だ。iPad Pro11インチと12.9インチ(第3世代以降)なら、背景をぼかした自撮りもできる(No054で解説)。

こんなときは?

画面内をタップして露出を調整する

iPadのカメラは基本的にフルオートできれいな写真が撮れるが、逆光など被写体の明暗差が大きいと、明るい場所が真っ白になったり(白飛び)、暗い場所が真っ黒になる(黒つぶれ)ことがある。これを防ぐには、画面内をタップしてピントや露出を合わせる場所を変更すればよい。画面内で暗い部分をタップすれば全体的に明るくなり、明るい部分をタップすれば全体的に暗くなる。

暗い場所をタップすると全体が明るくなるが、奥の建物や空が白飛びする

明るい場所をタップすると全体的に少し暗くなるが、建物や空の白飛びは抑えられる

アプリ

052

(カメラ)

露出調整やズーム撮影などの方法
もっときれいに写真を撮影するためのひと工夫

iPadのカメラアプリで、暗くなった被写体を明るくしたり、白飛びした部分がしっかり写るように暗くしたいときは、画面内の明るい場所や暗い場所をタップして露出を調整する(No051で解説)ほかにも、手動で露出を微調整できるので覚えておこう。画面をタップして一度ピントと露出を合わせ、そのまま指を離さずに上下に動かせば、画面の明るさを変えて撮影できる。また、遠くの被写体を拡大して撮影したいときは、画面をピンチイン/アウトすることでズーム撮影を行える。iPadのモデルによって操作が異なるが、カメラの画面左側にあるズームスライダを上下にドラッグてズームイン/ズームアウトを行うこともできる。

1 露出だけを手動で調節する

タップしたまま指を
上下にスワイプして
露出を調整できる

画面をタップしてピントを合わせ、そのまま指を離さず上下に動かすと、画面を明るくしたり暗くして撮影できる。

2 ズームイン/アウトして撮影する

画面内をピンチイン
/アウトする

カメラの画面をピンチイン/アウトするとズーム撮影が可能だ。画面左端のスライダで操作してもよい。また、レンズを2つ搭載したiPad Proでは、画面左端の「1x」をタップしてレンズを切り替えられる。

アプリ

053

(カメラ)

カメラアプリで録画機能を使う
iPadで動画を撮影する

カメラアプリでは、写真だけでなく動画の撮影も可能だ。カメラを起動したら、画面右下のメニューを上下にスワイプして、カメラモードを「ビデオ」に切り替えよう。シャッターボタンが赤丸の録画ボタンに変更されるので、これをタップすると録画が開始され、画面上部に撮影時間が表示される。ピントや露出などは、写真撮影時と同じように自動調節されるほか、画面をタップすればその場所にピントや露出を合わせることもできる。また、録画中に画面をタップしたまま上下して露出を微調整したり、ピンチイン/アウト操作でズームイン/アウトも可能だ。録画ボタンをもう一度タップすると、録画を終了する。

1 ビデオモードに切り替える

00:00:00
上下にスワイプしてカメラ
モードを「ビデオ」に合わせる
ビデオ

カメラを起動したら、画面右下のメニューを上下にスワイプして、カメラモードを「ビデオ」に切り替えよう。

2 録画ボタンで撮影を開始する

00:00:22
タップして録画を開始/停止する。
録画を停止すると、動画が「写真」アプリ(No055で解説)に保存される

シャッターボタンが赤丸の録画ボタンに変わるので、これをタップして録画を開始。もう一度タップすると録画を停止する。

アプリ

054

(カメラ)

フラッシュのオン／オフやセルフタイマー撮影もできる

さまざまな撮影方法を試してみよう

カメラアプリの画面右に並ぶボタンでは、さまざまな機能を利用できる。フラッシュボタンをタップすると、フラッシュのオン／オフを切り替え可能だ。暗い場所や室内ではフラッシュ撮影が効果的だが、光が不自然になることが多いので、基本はオフにしておくのがおすすめ。また、記念撮影したいときに欠かせないセルフタイマーは、セルフタイマーボタンをタップして時間を指定すればOK。シャッターを押すと、カウントダウンのあとにシャッターが切られる。なお、iPadの「設定」→「カメラ」から、ビデオ撮影時の解像度やグリッド表示などの細かい設定ができるので、こちらも確認しておくといい。

よく使うカメラの機能を覚えておこう

1 フラッシュのオン／オフを切り替える

基本はオフにしておき、必要に応じてオンに切り替えよう
自動
オン
オフ

フラッシュボタンをタップすると、フラッシュの自動とオン、オフを切り替えできる。フラッシュ撮影はあまりキレイに撮影できないことが多いので、基本はオフにしておくといい。

2 Live Photos機能をオン／オフする

オンにすると、画面上部に「LIVE」と表示されて機能が有効になる

Live Photosとは、写真を撮った瞬間の前後の映像と音声を記録する機能だ。映像と音声を含む分、静止画に比べファイルサイズが倍近くになるので、不要なら機能を切っておこう。

3 セルフタイマーで撮影を行う

オフ
3秒
10秒
カウントダウンの秒数を選択する

セルフタイマー機能も搭載している。タイマーの時間を3秒か10秒のどちらかに設定したらシャッターボタンを押そう。カウントダウン後、シャッターが切られる。

4 タイムラプスでコマ送り動画を撮影する

タイム
ラプス

カメラモードを「タイムラプス」に切り替えて撮影すると、一定間隔ごとに静止画を撮影し、それをつなげてコマ送りビデオを作成できる。同じ場所を長時間定点撮影したいときなどに利用しよう。

5 途中でスロー再生になる動画を撮影する

スロー

カメラモードを「スロー」に切り替えて撮影すると、途中でスロー再生になるビデオを撮影できる。撮影したビデオを写真アプリで開いて編集モードにすると、下部バーでスロー再生にする箇所を変更できる。

6 ポートレートモードで背景をぼかして撮影

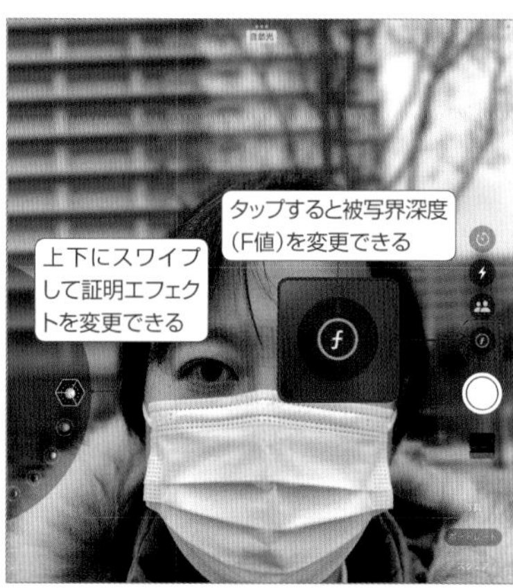

タップすると被写界深度(F値)を変更できる
上下にスワイプして証明エフェクトを変更できる

iPad Pro11インチと12.9インチ(第3世代以降)のフロントカメラのみ、カメラモードを「ポートレート」に切り替えることで、背景をぼかしたセルフィーを撮影できる。背景だけを黒にするエフェクトなどもある。

アプリ 055

写真

写真や動画は写真アプリで閲覧できる
撮影した写真や動画を見る

カメラで撮影した写真や動画は、写真アプリで閲覧可能だ。サイドバーを開いて「ライブラリ」をタップし、さらに「すべての写真」をタップすれば、端末内に保存されたすべての写真や動画が一覧表示される。閲覧したいものをタップして全画面表示に切り替えよう。このとき、左右スワイプで前後の写真や動画を表示したり、ピンチイン／アウトで拡大／縮小表示が可能だ。なお、写真や動画をある程度撮影していくと、「For You」画面で自動的におすすめ写真やメモリーを提案してくれるようになる。ちょっとした想い出を振り返るときに便利なので、気になる人はチェックしてみよう。

写真アプリの基本的な使い方

1 すべての写真や動画を表示する

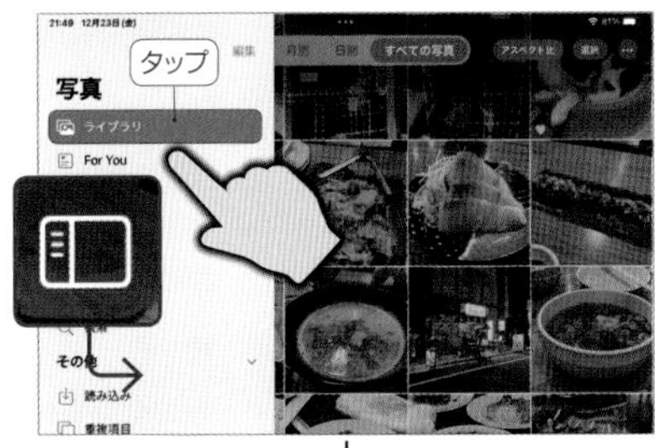
タップ
写真
ライブラリ
For You

2022年8月25日～26日
すべての写真を一覧表示できる
閲覧したい写真をタップする

写真アプリで画面左上のボタンをタップするとサイドバーが開く。「ライブラリ」画面で「すべての写真」を選択すれば、今まで撮影したすべての写真や動画が撮影順に一覧表示される。

2 写真や動画を全画面で閲覧する

写真や動画をお気に入りに登録する
左右スワイプで前後の写真や動画を閲覧できる

見たい写真や動画をタップすると全画面で表示され、ピンチ操作で拡大／縮小したり、左右スワイプで前後の写真に切り替えできる。動画再生中は、画面下部分をスワイプして再生位置を調整できる。

3 写っている人物や場所、撮影モードから探す

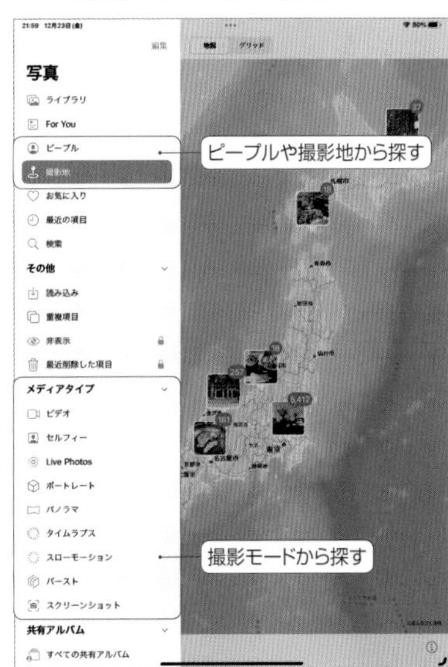
写真
ライブラリ
For You
ピープル
お気に入り
最近の項目
検索
その他
読み込み
重複項目
非表示
最近削除した項目
メディアタイプ
ビデオ
セルフィー
Live Photos
ポートレート
パノラマ
タイムラプス
スローモーション
バースト
スクリーンショット
共有アルバム
すべての共有アルバム
ピープルや撮影地から探す
撮影モードから探す

サイドバーでは、「ピープル」でよく写っている人物から探したり、「撮影地」でマップ上から探せる。また「メディアタイプ」欄で、ビデオやセルフィーなど撮影モード別でも一覧表示できる。

オススメ操作

おすすめの写真やメモリーを自動提案してくれる

サイドバーから「For You」画面を開くと、過去に撮影した写真や動画の内容をAIで解析し、おすすめの写真やメモリー（旅行や1年間の振り返りなど、何らかのテーマで写真や動画を自動でまとめたもの）を提案してくれる。メモリーをタップすると、BGM付きのスライドショーが自動的に生成されているので、ぜひ一度チェックしてみよう。忘れかけていた思い出がよみがえるはずだ。

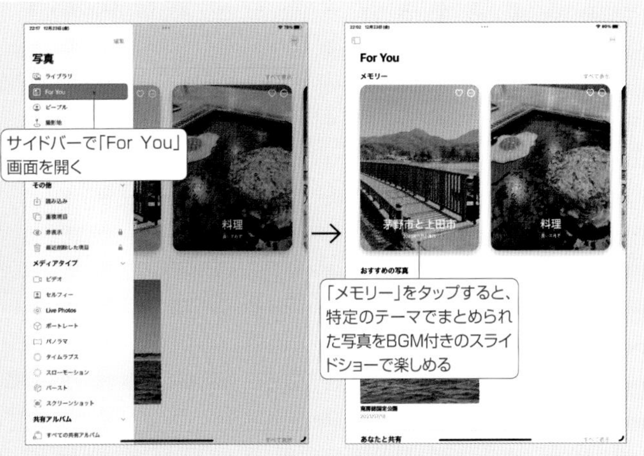
サイドバーで「For You」画面を開く
For You
メモリー
料理
おすすめの写真
「メモリー」をタップすると、特定のテーマでまとめられた写真をBGM付きのスライドショーで楽しめる
あなたと共有

アプリ 056 写真

容量が気になる場合は
いらない写真や動画を削除する

iPadでせっかく撮影した写真やビデオは、いつまでも思い出として本体内に残しておきたいもの。ただ、写真1枚の容量はたいしたことがないが、数年分の撮りためた写真やビデオが残っていると、iPadのストレージ容量が不足しがちだ。そんな時は、いらない写真やビデオを選択して削除しておこう。写真やビデオを開いてゴミ箱ボタンをタップするか、「選択」ボタンで複数選択してからゴミ箱ボタンをタップするとまとめて削除できる。なお削除しても、No057で解説しているように「最近削除した項目」に30日間は残されており復元可能な状態になっている。この画面からも削除しないと、iPadの空き容量は増えないので注意しよう。

1 写真や動画を個別に削除する

タップ
写真を削除

写真や動画を全画面表示にしたら、ゴミ箱ボタンをタップして「写真(ビデオ)を削除」をタップすれば削除できる。

2 写真や動画をまとめて削除する

2022年8月19日～25日
選択
タップ
削除したい写真やビデオをタップして選択
タップして一括削除する
写真10枚を削除

「ライブラリ」画面などで右上の「選択」をタップし、写真や動画を複数選択してゴミ箱ボタンをタップするとまとめて削除できる。

アプリ 057 写真

削除した項目は30日以内なら復元可能
間違って削除した写真や動画を復元する

大切な写真や動画を誤って削除しても慌てる必要はない。削除してから30日間は、サイドバーにある「最近削除した項目」アルバムに残されており、ここから簡単に復元できるようになっているのだ。ただし31日以上経過すると完全に削除されるので注意しよう。なお、この「最近削除した項目」アルバムと、見られたくない写真を隠しておける「非表示」アルバムは、他人が写真アプリを操作しても見られないように標準ではロックされており、Face IDやTouch IDで認証しないと中身を表示できない。ロックされていない場合は、「設定」→「写真」→「Face ID(Touch ID)を使用」がオンになっているか確認しよう。

1 最近削除した項目を表示する

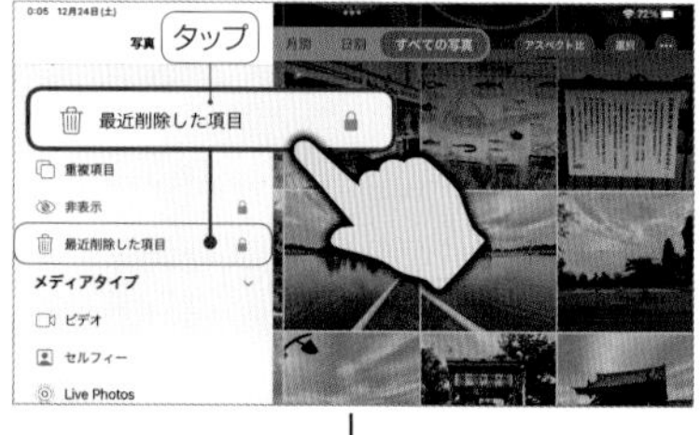
タップ
最近削除した項目
メディアタイプ
ビデオ
セルフィー
Live Photos

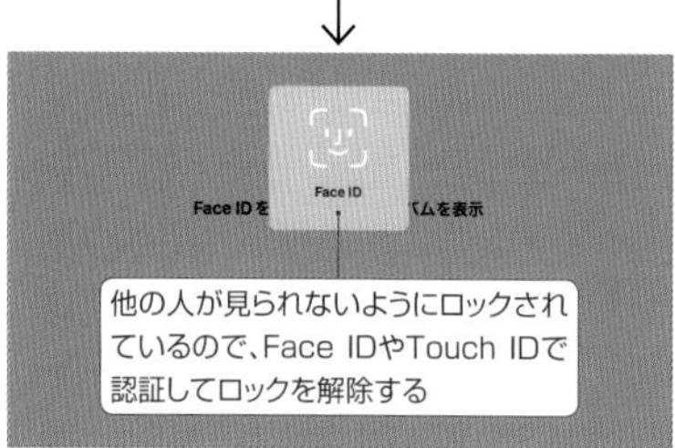
Face ID
他の人が見られないようにロックされているので、Face IDやTouch IDで認証してロックを解除する

サイドバーを開いて「最近削除した項目」をタップし、Face IDやTouch IDで認証してロックを解除する。

2 写真や動画を選択して復元する

最近削除した項目
選択
タップ

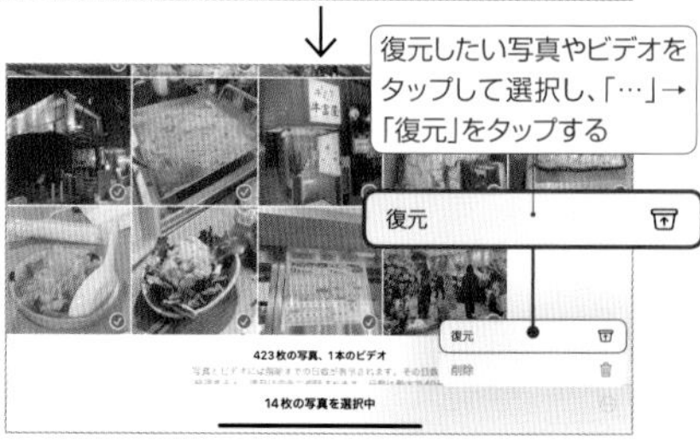
復元したい写真やビデオをタップして選択し、「…」→「復元」をタップする
復元
削除
423枚の写真、1本のビデオ
14枚の写真を選択中

削除して30日以内の写真や動画が一覧表示されるので、復元したい写真やビデオを選択して右下の「…」→「復元」をタップしよう。

アプリ
058

写真

写真アプリで写真の色合いなどを変更しよう
撮影済みの写真を見栄えよく編集する

写真アプリには、写真の編集機能も搭載されている。編集したい写真をタップして全画面表示にしたら、画面上部の「編集」ボタンをタップしよう。左側に表示されている3つのボタンで、上から「調整」、「フィルタ」、「切り取り」の編集が行える。調整の編集メニューでは、一番上の「自動」ボタンをオンにすれば、自分で細かく調整しなくても最適な数値に設定してくれる。その上で、露出や明るさなど気になる項目だけ手動で変更していこう。そのほか、フィルタを適用して写真の雰囲気や色合いを変更したり、トリミング（写真の不要な部分を削除して一部だけ切り抜くこと）や歪み補正を行うことで、見栄えのよい写真に仕上げよう。

1 写真を開いて編集をタップ

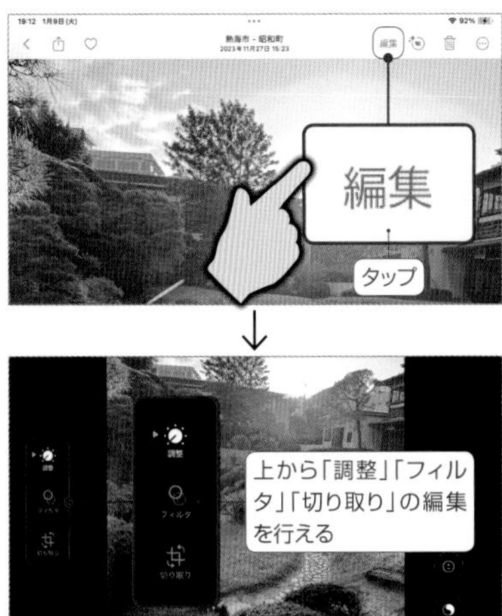
編集
タップ
上から「調整」「フィルタ」「切り取り」の編集を行える

写真アプリで写真を開いたら、画面上部の「編集」ボタンをタップ。左側に表示されている3つのボタンで編集を行おう。

2 編集を施して保存する

編集を適用して保存する。編集後の写真を開いて「編集」→「元に戻す」→「オリジナルに戻す」でいつでも編集前の状態に戻せる
「調整」の編集メニューでは、まず一番上の「自動」ボタンをオンにして露出や明るさを自動調整してから、各項目を手動で細かく調整するのがおすすめ

右側に表示される編集メニューで、明るさを調整したりフィルタを適用しよう。右上のチェックボタンで保存できる。

アプリ
059

写真

簡単な動画編集も写真アプリでできる
撮影した動画の不要な部分を削除する

写真アプリでは、写真だけでなく動画の編集も行える。まずは写真アプリで編集を加えたい動画を開き、画面上部の「編集」ボタンをタップしよう。写真の編集（No058で解説）と同様に、左側に「調整」、「フィルタ」、「切り取り」ボタンが用意されており、それぞれのメニューで明るさの調整やフィルタの適用、トリミングなどの編集を施すことができる。また動画の場合は、左側の一番上にある「ビデオ」ボタンで、動画の不要な部分だけを削除するカット編集も行える。タイムラインの左右にあるカーソルをドラッグすると動画として残す範囲を黄色い枠で選択できるので、画面右上ののチェックマークをタップして保存しよう。

1 動画を開いて編集をタップ

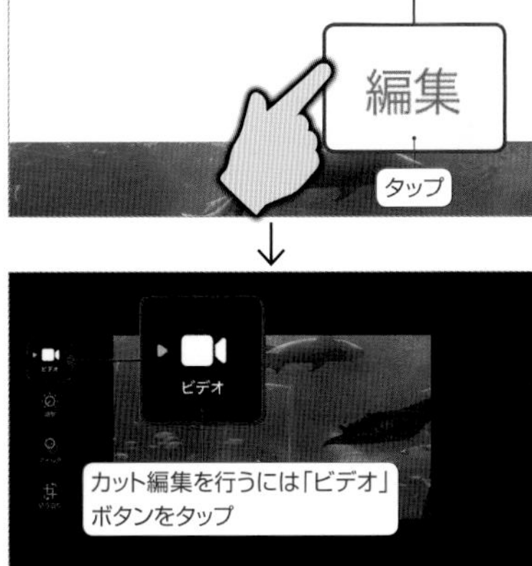
編集
タップ
ビデオ
カット編集を行うには「ビデオ」ボタンをタップ

写真アプリで動画を開いたら、画面上部の「編集」ボタンをタップ。左側の一番上の「ビデオ」ボタンでカット編集が可能だ。

2 動画のカット編集を行う

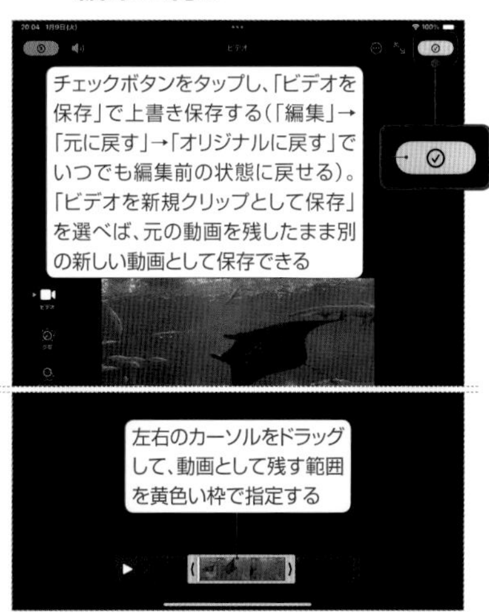
チェックボタンをタップし、「ビデオを保存」で上書き保存する（「編集」→「元に戻す」→「オリジナルに戻す」でいつでも編集前の状態に戻せる）。「ビデオを新規クリップとして保存」を選べば、元の動画を残したまま別の新しい動画として保存できる
左右のカーソルをドラッグして、動画として残す範囲を黄色い枠で指定する

下部のタイムラインの左右にあるカーソルをドラッグし、動画として残す範囲を選択したら、右上のチェックボタンで保存しよう。

アプリ

060

写真

いつでも編集前の写真や動画に戻せる

編集した写真や動画を元に戻す

写真アプリで編集を加えた写真(No058で解説)や編集を加えた動画(No059で解説)は、元の写真や動画を上書き保存したように見えるが、実は簡単な操作で編集前の写真や動画に戻すことが可能だ。元に戻したい写真や動画を開いたら、上部の「編集」ボタンをタップしよう。右上のチェックボタンが「元に戻す」ボタンに変わっていれば編集済みの写真や動画なので、これをタップ。続けて「オリジナルに戻す」をタップすると、すべての編集内容が破棄されて編集前の写真や動画に戻せる。このように、写真や動画の編集は何度でもやり直しが可能なので、気兼ねなくさまざまな効果やフィルタの適用を試してみよう。

1 写真を開いて編集をタップ

編集
タップ

写真アプリで編集を加えた写真やビデオを元に戻すには、まず元に戻したい写真やビデオを開いて、上部の「編集」ボタンをタップする。

2 「元に戻す」で編集前に戻せる

オリジナルに戻す
タップ

右上の「元に戻す」→「オリジナルに戻す」をタップすると、この写真や動画に加えたすべての編集内容が破棄されて、編集前の状態に戻すことができる。

アプリ

061

写真

メールやLINEで写真や動画を送る

撮影した写真や動画を家族や友人に送信する

カメラアプリで撮影し写真アプリに保存された写真や動画は、簡単にメールやLINEで家族や友人に送信できる。まず、写真アプリで送信したい写真や動画を開き、画面左上の共有ボタン(No074で解説)をタップ。続けて送信に利用するアプリを選択しよう。たとえばメールを選択すると、写真が添付された状態で新規メールの作成画面が開く。LINEの場合は、送信する相手にチェックを入れて「転送」をタップすればよい。なお、共有画面のアプリ一覧に、送信に使いたいアプリが表示されない場合は、アプリ一覧を右端までスワイプして「その他」をタップしてみよう。「候補」欄にその他のアプリ候補が表示されるので、ここから選択すればよい。

1 共有ボタンからアプリを選択する

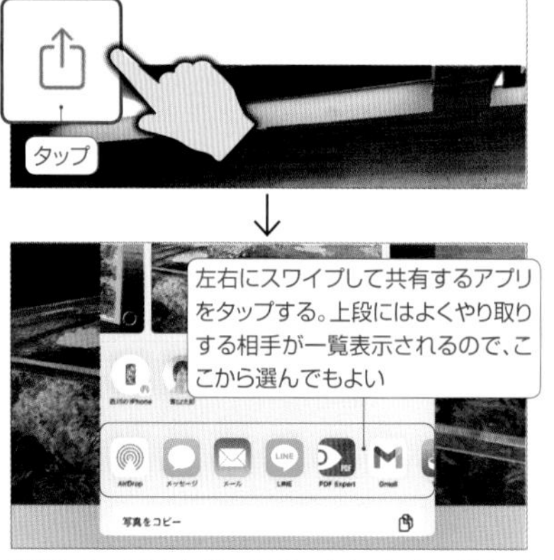
タップ
左右にスワイプして共有するアプリをタップする。上段にはよくやり取りする相手が一覧表示されるので、ここから選んでもよい
写真をコピー

送信したい写真や動画を開いたら、左上の共有ボタンをタップ。メールやLINEなどのアプリを選択して送信しよう。

2 複数の写真を送信するには

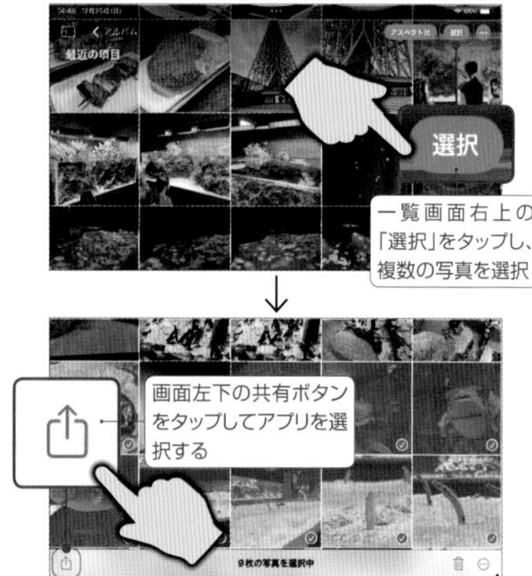
選択
一覧画面右上の「選択」をタップし、複数の写真を選択
画面左下の共有ボタンをタップしてアプリを選択する

複数の写真をまとめて送信した場合は、一覧画面の「選択」ボタンで選択し、左下の共有ボタンをタップすればよい。

アプリ

062

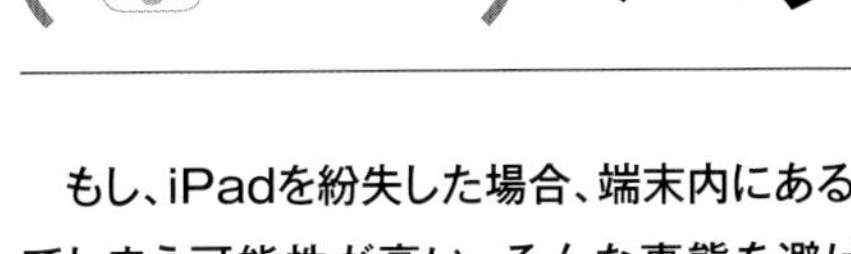

写真

写真や動画はiCloudでバックアップするのが手軽

大事な写真をバックアップしておく

もし、iPadを紛失した場合、端末内にある写真や動画も失ってしまう可能性が高い。そんな事態を避けたいのであれば「iCloud写真」という機能を利用してみよう。この機能を有効にすると、iPadで撮影した写真や動画はすべてiCloudというインターネット上の保管スペースに自動でアップロードされ、保存される。そのため、iPadをなくしたとしても、写真や動画はiCloudに残っている。ただし、この機能はiCloudの保存容量を消費するため、iPadでよく写真や動画を撮影する人だと、無料で使える保存容量（5GB）では足りなくなってくる。有料で保存容量を増やすことも可能だ。

iCloud写真を有効にして自動でバックアップする

1 設定からiCloud写真を有効にする

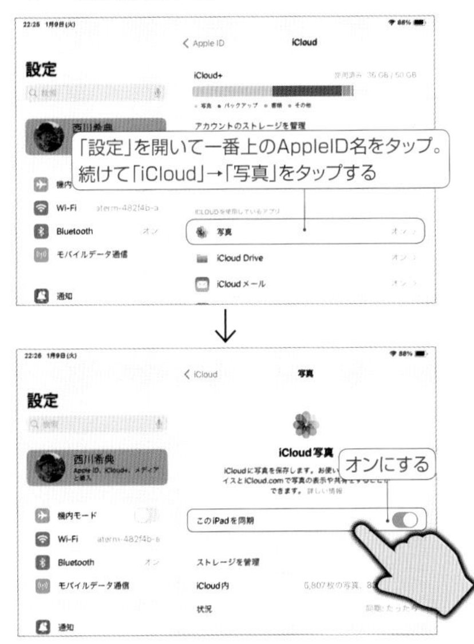

「設定」を開いて一番上のAppleID名をタップ。続けて「iCloud」→「写真」をタップする
オンにする

まずは、「設定」を開いて一番上のApple ID名をタップ。続けて「iCloud」→「写真」→「このiPadを同期」をオンにしよう。これで撮影した写真や動画がiCloudに自動でアップロードされる。

2 すべての写真と動画がアップロードされる

2022年12月14日～25日
iPad内の写真やビデオがiCloudにアップロードされる
2,537 枚の写真、26 本のビデオ
iCloud と同期中...

写真アプリの「ライブラリ」画面を開くと、最下部でアップロードの進捗状況が分かる。アップロードした写真や動画は同期され、ほかのiPhoneやMacから見ることもできる。

3 有料のストレージプランを購入する

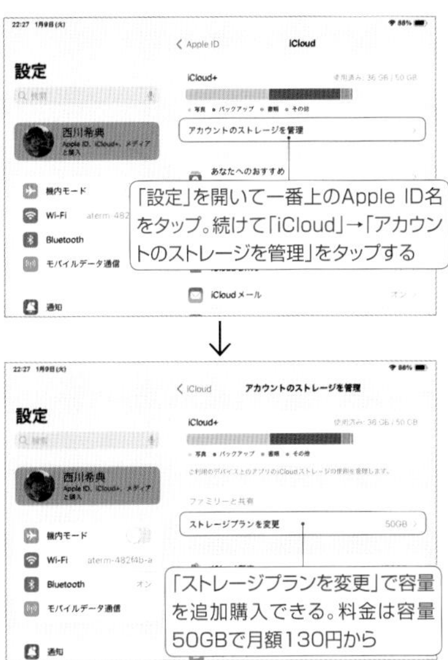

「設定」を開いて一番上のApple ID名をタップ。続けて「iCloud」→「アカウントのストレージを管理」をタップする
「ストレージプランを変更」で容量を追加購入できる。料金は容量50GBで月額130円から

iCloudは無料で5GBまで使えるが、空き容量が足りないと新しい写真や動画をアップロードできなくなる。どうしても容量が足りない時はiCloudの容量を月額課金で追加購入しておこう。

操作のヒント

iPadとiCloudの写真は「同期」される点に注意

「iCloud写真」を有効にした際は、iPadの写真や動画がiCloudへ一方的にバックアップされるわけではなく、iPadとiCloudの写真や動画が常に同じ状態に「同期」される（No082で解説）仕組みになっている。このため、iPadで写真を削除すると、iCloudからも写真も削除されてしまうので注意しよう。またiPhoneでもiCloud写真を有効にすれば、iPadとiPhone、iCloudの写真や動画がすべて同じ状態に同期される。たとえばiPhoneで撮影した写真はiPadの写真アプリでも表示できるし、iPadで写真を編集したり削除したりすると、その操作がiPhoneの写真アプリにも反映される。

iPad
iPhone
2023年11月27日
iPadとiPhoneでそれぞれ「iCloud写真」を有効にしておけば、iPadとiPhone、iCloud上の写真や動画は常に同じ状態に「同期」される

アプリ

063 キーワード検索で目的の場所を探そう マップアプリで地図を確認しスポットを検索する

(マップ)

iPadは標準の「マップ」アプリで地図を表示できる。iPadがネットに接続されおり、「設定」→「プライバシーとセキュリティ」→「位置情報サービス」→「位置情報サービス」がオンであれば、自分の現在地やどの方向を向いているかも確認可能だ。マップはピンチイン/アウトで直感的に縮小/拡大表示できる。また、特定の住所や施設を検索したい場合は、検索カードの上部にある検索欄にキーワードを入力して検索しよう。「コンビニ」「カフェ」などで検索すれば、表示中のマップ周辺の該当スポットがマークされ、営業時間や電話番号、写真、レビューなどの詳細情報もチェックできる。

マップアプリで目的の場所を探す

1 マップアプリの基本的な操作

タップして現在地を表示
青い丸印で現在地と向いている方向を確認できる
画面内をスワイプすると他の場所に移動する。ピンチイン/アウトすると地図を拡大/縮小表示できる

マップアプリを起動したら、画面右上の現在地ボタンをタップしてみよう。青い丸印で現在地が表示され、どの方向を向いているかも確認できる。画面内のピンチ操作でマップの拡大/縮小も可能だ。

2 施設名や住所で検索する

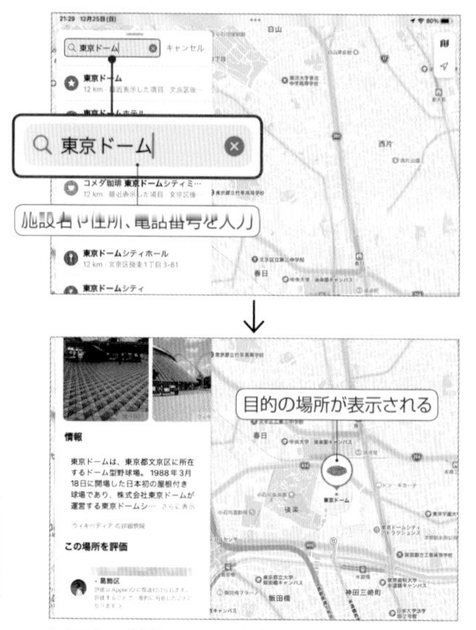

東京ドーム
施設名や住所、電話番号を入力
目的の場所が表示される

画面左の検索カードの上部にある検索欄では、主要な施設なら施設名を入力するとその場所がマップ上に表示されるほか、住所や電話番号を入力してその場所を表示することもできる。

3 周辺のスポットを検索する

カフェ
「カフェ」など周辺で調べたいスポットを検索
数字は、近接する複数スポットがまとめて表示された状態だ。マップを拡大すれば各スポットの位置が表示される

「コンビニ」「カフェ」などをキーワードにすると、表示中のマップ周辺から探して検索カードに一覧表示されるほか、マップ上にスポットのマークが表示されて場所を確認できる。

オススメ操作

スポットの詳細情報を確認する

スポットを検索した際に、検索結果の一覧から選択してタップするか、マップ上に表示されたマークをタップすると、検索カードにそのスポットの詳細情報が表示される。ここでは、スポットの営業時間や住所、電話番号、Webサイトなどを確認できるほか、飲食店の場合は食べログと連動した写真やレビューも表示されるので、店内の雰囲気やメニューの確認に役立てよう。

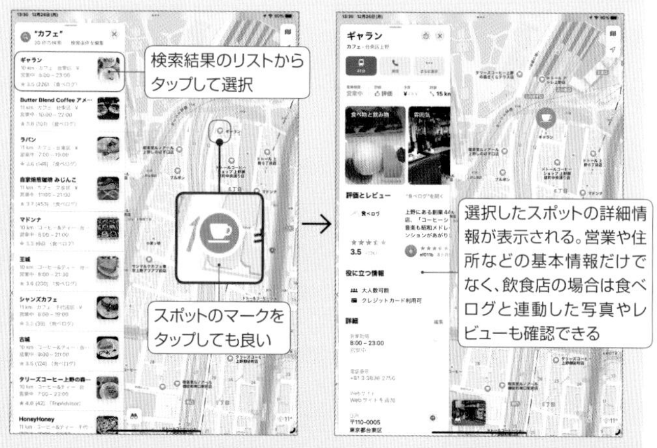

検索結果のリストからタップして選択
スポットのマークをタップしても良い
選択したスポットの詳細情報が表示される。営業や住所などの基本情報だけでなく、飲食店の場合は食べログと連動した写真やレビューも確認できる

アプリ 064 (マップ)

マップアプリの経路検索を使いこなす
マップで目的地までの道順や所要時間を調べる

マップアプリでは、2地点間を指定した経路検索が行える。たとえば、現在地から目的地まで移動したいときは、まず目的地をキーワード検索しよう。検索したスポットの詳細画面で経路ボタンをタップすれば、そのスポットが目的地として設定される。次に、移動手段を「車」、「徒歩」、「交通機関」などから選択。検索欄の下に表示された経路の候補をタップすれば、道順や距離、所要時間などを細かくチェック可能だ。駅から目的地までの所要時間やランニングコースの距離を確認するなど、さまざまな使い方ができる。また、経路を選んで「出発」をタップすれば、音声ガイド付きのナビゲーション機能を利用できる。

マップアプリで経路検索を行う

1 まずは目的地をスポット検索する

新宿三丁目駅
検索欄をタップして目的地を検索する
56分
スポットが検索されたら、この経路ボタンをタップする

まずはマップアプリを起動し、検索カードの検索欄をタップ。駅名など目的地の名前で検索するとマップに該当スポットが表示される。経路検索を行う場合は、経路ボタンをタップ。

2 経路検索の移動手段を選ぶ

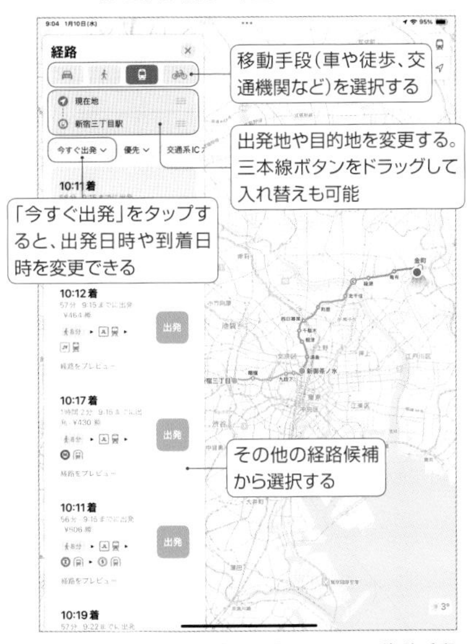

移動手段（車や徒歩、交通機関など）を選択する
出発地や目的地を変更する。三本線ボタンをドラッグして入れ替えも可能
「今すぐ出発」をタップすると、出発日時や到着日時を変更できる
その他の経路候補から選択する

現在地からの経路検索が行われるので、移動手段を「車」や「徒歩」、「交通機関」（電車やバスなど）などから選択しよう。出発地を現在地以外に変更したり、出発や到着時刻を設定したりもできる。

3 ナビゲーションを開始する

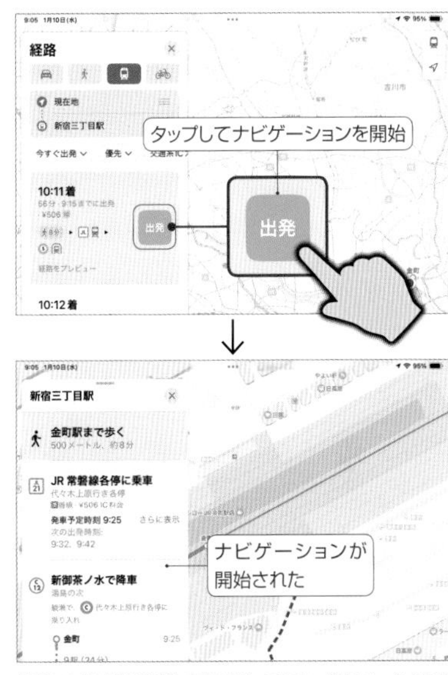

タップしてナビゲーションを開始
出発
ナビゲーションが開始された

経路の候補は複数表示されることがある。各経路の詳細を確認して好きなものを選ぼう。「出発」をタップすると、画面表示と音声によるナビゲーションも利用できる。

オススメ操作

お気に入りのスポットを登録する

マップ上で検索またはタップしたスポットを「マイガイド」に登録することで、旅行先で訪れたい場所をまとめて記録しておくといった使い方ができる。マップ上でスポットを選択したら、詳細画面の「…」→「ガイドに追加」をタップして登録するマイガイドを選択しよう。検索カードを下の方にスクロールするとマイガイドが一覧表示されており、いつでも素早くアクセスできる。

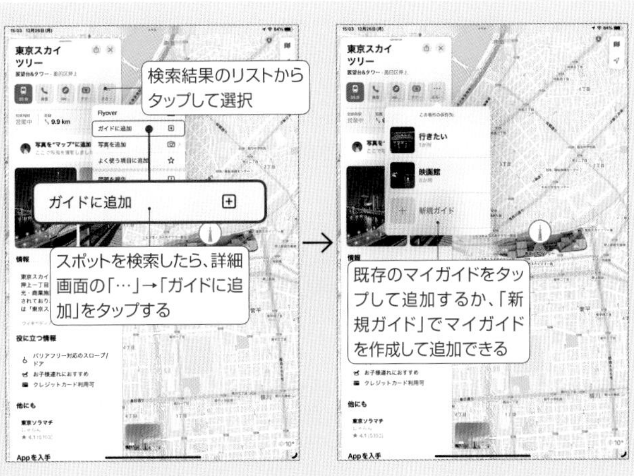

検索結果のリストからタップして選択
ガイドに追加
スポットを検索したら、詳細画面の「…」→「ガイドに追加」をタップする
既存のマイガイドをタップして追加するか、「新規ガイド」でマイガイドを作成して追加できる

アプリ
065 (ミュージック)
パソコンで音楽CDを取り込んでコピーしよう
CDの音楽をiPadにコピーして楽しむ

音楽CDをiPadにコピーして楽しみたい場合は、CDドライブが搭載されているパソコンが必要になる。ここでは、Windowsパソコンでの手順を中心に紹介しておこう。まずは、パソコン用のソフト「iTunes」をインストールして起動し、CDの読み込み設定を行っておく。読み込み方法(ファイル形式)は「AACエンコーダ」に、設定(ビットレート)は「iTunes Plus」にしておくのがオススメ。音楽CDの曲をiTunesでパソコンに取り込んだら、曲ファイルをiPadに転送する。あとは、iPadのミュージックアプリで転送した曲を再生させよう。

iTunesをインストールして音楽CDを読み込む

1 iTunesをパソコンにインストールしておく

iTunes
Microsoft Storeで最新バージョンをダウンロードできます。
Windows用のiTunes
Get it from Microsoft
iTunesの最新版をインストールしておく

Apple iTunes
https://www.apple.com/jp/itunes/

まずはパソコンにiTunesをインストールしておこう。iTunesは上記のApple公式サイトからダウンロードできる。なおMacの場合は、標準搭載されている「ミュージック」アプリでCDの音楽を取り込むことが可能だ。

2 iTunesを起動してCD読み込み時の設定を行う

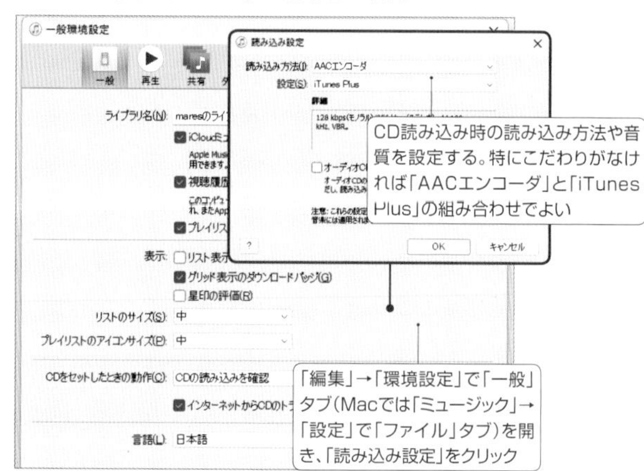
読み込み設定
読み込み方法(I): AACエンコーダ
設定(S): iTunes Plus
CD読み込み時の読み込み方法や音質を設定する。特にこだわりがなければ「AACエンコーダ」と「iTunes Plus」の組み合わせでよい
OK
キャンセル
「編集」→「環境設定」で「一般」タブ(Macでは「ミュージック」→「設定」で「ファイル」タブ)を開き、「読み込み設定」をクリック

iTunesを起動したら、メニューから「編集」→「環境設定」で「一般」タブを開き、「読み込み設定」ボタンでCD読み込み時の読み込み設定を確認しよう。

3 CDドライブに音楽CDを入れて読み込みを実行する

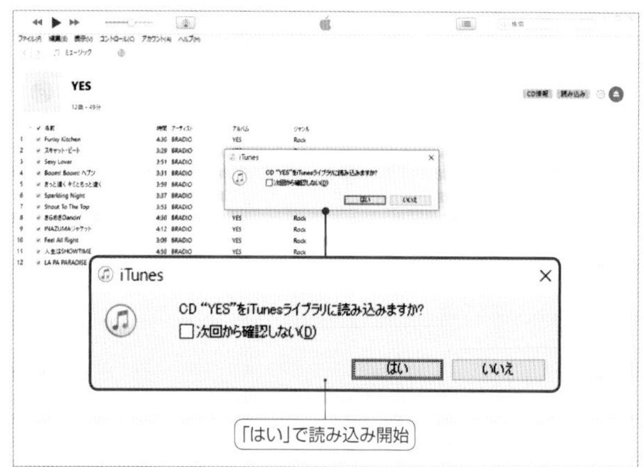
iTunes
CD "YES"をiTunesライブラリに読み込みますか?
次回から確認しない(D)
はい
いいえ
「はい」で読み込み開始

iTunesを起動したまま、音楽CDをパソコンのCDドライブにセットしよう。iTunesが反応して、CDの曲情報などが表示される。「~をiTunesライブラリに読み込みますか?」で「はい」を選択すれば読み込みが開始される。

4 音楽CDの読み込みが終わるまで待つ

YES
12曲・49分
読み込みがすべて完了した曲はチェックマークが付く

読み込みには少し時間がかかるのでしばらく待っておこう。なお、読み込みが完了した曲には曲名の横に緑色のチェックマークが付く。

読み込んだ曲をiPadに転送して再生する

1 iPadとパソコンを接続して読み込んだ曲を探す

「ミュージック」→「ライブラリ」→「最近追加した項目」とクリックして、読み込んだ曲を探す

iPadとパソコンを接続したらiTunes(Macでは「ミュージック」)を起動。続けて、「ミュージック」→「ライブラリ」→「最近追加した項目」をクリックし、先ほど読み込んだアルバムや曲を探そう。

2 iPadにアルバムや曲をドラッグ&ドロップして転送する

アルバムや曲をiPadの項目にドラッグ&ドロップして転送する。転送できない時は、iPadの管理画面(手順3の画面)で「概要」→「音楽とビデオを手動で管理」にチェック

アルバムや曲を選択したら、画面左の「デバイス」欄に表示されているiPadの項目にドラッグ&ドロップしよう。これで曲が転送される。

3 プレイリストやアーティスト単位でiPadに転送する

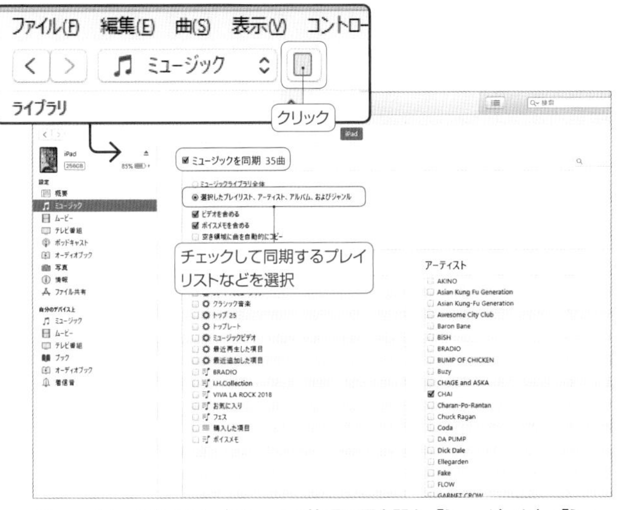

ファイル(F) 編集(E) 曲(S) 表示(V) コントロー
ミュージック
ライブラリ
クリック
チェックして同期するプレイリストなどを選択

iTunes(MacではFinder)でiPadの管理画面を開き、「ミュージック」→「ミュージックを同期」にチェックすると、プレイリストやアーティストを選択して、iPadと同期させることもできる。

4 iPadのミュージックアプリで曲を再生する

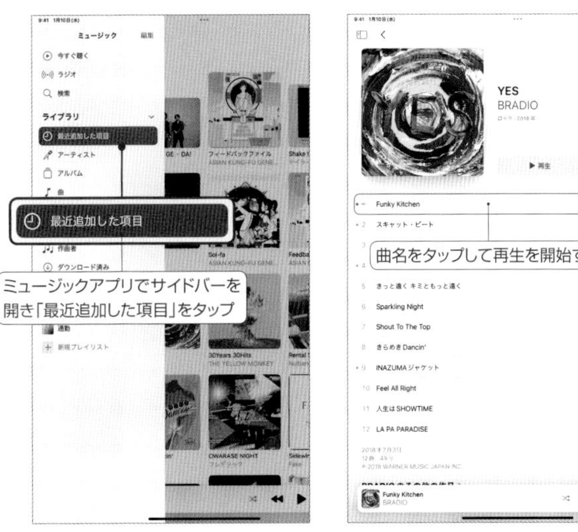

最近追加した項目
ミュージックアプリでサイドバーを開き「最近追加した項目」をタップ
曲名をタップして再生を開始する

あとはiPadでミュージックアプリを起動し、左上のボタンをタップしてサイドバーを開いたら、「最近追加した項目」をタップ。iTunesで転送したアルバムや曲を探し、タップして再生しよう。

こんなときは?

Apple Music加入時はすべての曲をiCloudに保存して再生できる

Apple Music(No067参照)に加入済みなら、iPadの「設定」→「ミュージック」→「ライブラリを同期」をオンにしておこう。また、パソコンのiTunesでも「編集」→「環境設定」→「一般」→「iCloudミュージックライブラリ」(Macでは「ミュージック」→「環境設定」→「一般」→「ライブラリを同期」)にチェックする。これで、音楽CDから取り込んだ曲やプレイリストはすべてiCloudにアップロードされ、iPadからも再生できるようになる。上で解説しているように、いちいちiPadとパソコンをケーブル接続して曲を転送しなくて済むのだ。ただしApple Musicを解約すると、iCloudにアップロードされた曲も削除されるので、元の曲ファイルをパソコンから削除しないように注意しよう。

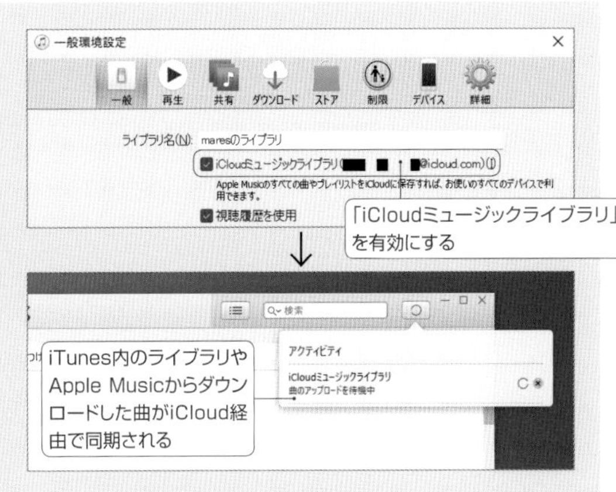

一般環境設定
「iCloudミュージックライブラリ」を有効にする
iTunes内のライブラリやApple Musicからダウンロードした曲がiCloud経由で同期される

アプリ

066

ミュージック

標準の音楽プレイヤーの基本的な使い方

ミュージックアプリで音楽を楽しむ

iPadのミュージックアプリでは、パソコン経由で転送したCDの曲やApple Music（No067で解説）でライブラリに追加した曲、iTunes Storeで購入した曲を再生することができる。ミュージックアプリで音楽を再生すると、ホーム画面に戻っても再生は続き、ほかのアプリで作業をしながら音楽を楽しむことも可能だ。ミュージックアプリの画面下部には、現在再生中の曲が表示される。ここをタップすると再生画面が表示され、再生位置の調整や一時停止などの再生コントロールを行える。また歌詞表示に対応している曲なら、カラオケのように歌詞を表示しなら曲を再生させることも可能だ。

ミュージックアプリで曲を再生する

1 ミュージックアプリでライブラリを表示

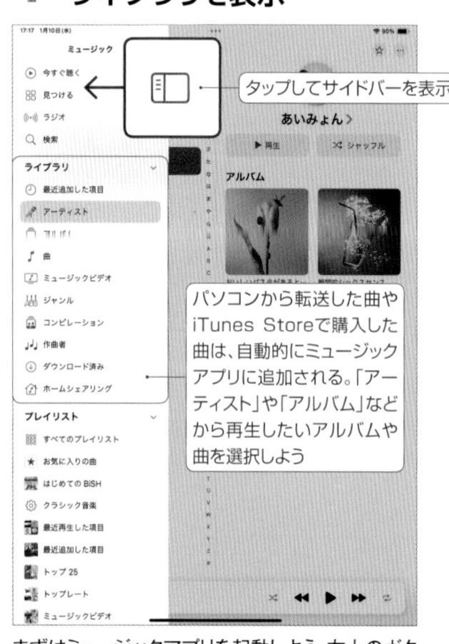

タップしてサイドバーを表示
パソコンから転送した曲やiTunes Storeで購入した曲は、自動的にミュージックアプリに追加される。「アーティスト」や「アルバム」などから再生したいアルバムや曲を選択しよう

まずはミュージックアプリを起動しよう。左上のボタンをタップするとサイドバーが開くので、ライブラリ欄の「アーティスト」や「アルバム」、「曲」などから再生した曲を探す。

2 アルバムや曲を再生する

「再生」をタップするか曲名をタップして再生
タップして再生画面を表示

アルバムや曲を表示したら、「再生」ボタンか曲名をタップしよう。これで再生が始まる。現在再生している曲は、画面下に表示され、この部分をタップすると再生画面が表示される。

3 再生画面の操作を把握しておこう

スライダーでの再生位置調整や一時停止などの再生コントロール
歌詞を表示

再生画面では、曲の再生位置調整や一時停止などが可能だ。また、歌詞表示に対応していれば、曲を流しながら歌詞を表示することもできる。

オススメ操作

iTunes Storeで曲を購入する

「iTunes Store」アプリを使うと、アルバムや曲を個別にダウンロード購入できる。Apple Music（No067で解説）に登録している人はあまり使う機会がないかもしれないが、Apple Musicで配信されていないアーティストの曲も入手できるのでチェックしてみよう。なお、一部の曲を購入済みのアルバムは「コンプリート・マイ・アルバム」と表示され、差額を支払えば残りの曲を購入できる。

iTunes Storeを起動して、「ミュージック」画面で購入したい曲を探す。右上の検索欄でキーワード検索してもよい
ミュージック
¥255
価格ボタンをタップして、アルバムや曲を購入する。購入したアルバムや曲は自動的にミュージックアプリに追加される

アプリ 067 (ミュージック)

最新のヒット曲から往年の名曲まで聴き放題

Apple Musicを無料期間で試してみよう

Apple Musicとは、月額制の音楽聴き放題サービスだ。約1億曲の音楽をネット経由でストリーミング再生したり、端末にダウンロードしてオフラインで再生できる。個人ユーザーなら月額1,080円（税込）の利用料金がかかるが、初めて登録する場合は最初の1ヶ月だけ無料でお試しが可能だ。Apple Musicの機能はミュージックアプリに組み込まれているので、加入すれば、ミュージックアプリの検索機能で検索したり、「今すぐ聴く」や「見つける」といったメニューから曲を探して再生できる。気に入ったアルバムや曲は、「ライブラリ」に追加していつでもすぐに聴けるようにしておこう。

ミュージックアプリでApple Musicの曲を探してみよう

1 Apple Musicに登録する

オンにしておく
タップ
1か月間無料で音楽をお楽しみいただけます
タップして登録

Apple Musicを1ヶ月無料で使うには、まず「設定」→「ミュージック」で「Apple Musicを表示」をオンにしておき、「Apple Musicに登録」をタップ。「無料で開始」で登録しよう。

2 Apple Musicの曲を探そう

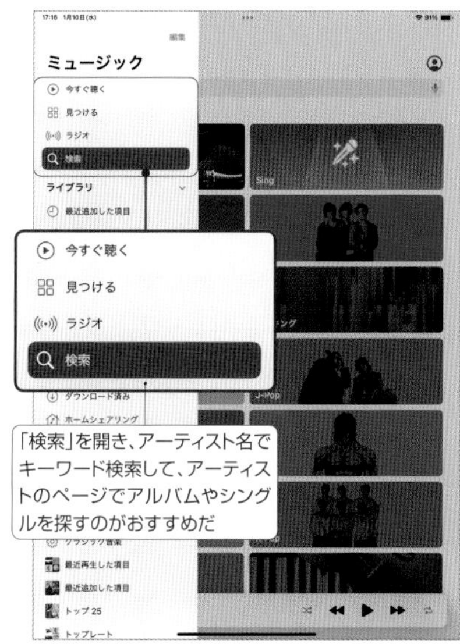
ミュージック
今すぐ聴く
見つける
ラジオ
検索
「検索」を開き、アーティスト名でキーワード検索して、アーティストのページでアルバムやシングルを探すのがおすすめだ

サイドバーの「検索」画面でApple Musicの配信曲を検索できる。履歴などから好みの曲を提案してくれる「今すぐ聴く」や、最新リリースなどをチェックできる「見つける」画面で探してもよい。

3 Apple Musicの曲をライブラリに追加する

アルバムの画面で「+」をタップしてアルバムをライブラリに追加する（曲単位は「…」→「ライブラリに追加」をタップ）。ライブラリ追加後はダウンロードボタンになり、タップしてiPadに保存しておけばオフラインでも再生できる
最近追加した項目順
Apple Musicの曲がライブラリに追加される。お気に入りのアルバムはライブラリに追加して、いつでもすぐに聴けるようにしておこう

「設定」→「ミュージック」→「ライブラリを同期」をオンにしておくと、Apple Musicの曲をライブラリに追加できる。ライブラリに追加した曲はダウンロードして、オフラインで聴くこともできる。

こんなときは?

ひとまず無料期間だけ試したい場合は

Apple Musicの無料期間が終了すると、自動的に月額1,080円の課金が開始されてしまう。とりあえず無料期間だけ使いたいなら、無料期間終了前にミュージックアプリで「今すぐ聴く」画面を開き、右上のユーザーボタンをタップ。「サブスクリプションの管理」→「サブスクリプションをキャンセルする」をタップしよう。無料トライアル期間中にキャンセルすると、Apple Musicは即座に利用できなくなる。

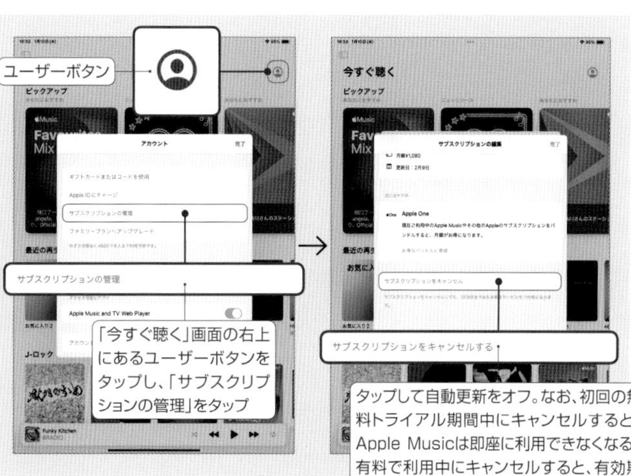
ユーザーボタン
今すぐ聴く
サブスクリプションの管理
「今すぐ聴く」画面の右上にあるユーザーボタンをタップし、「サブスクリプションの管理」をタップ
サブスクリプションをキャンセルする
タップして自動更新をオフ。なお、初回の無料トライアル期間中にキャンセルすると、Apple Musicは即座に利用できなくなる。有料で利用中にキャンセルすると、有効期限まではApple Musicを利用できる

アプリ
068 写真の貼り付けや手書き入力にも対応 メモアプリにちょっとしたメモを書き込む

（メモ）

思い浮かんだアイデアを書き留めたり、買い物のチェックリストを作成したいなら、標準の「メモ」アプリを使ってサッとメモしよう。シンプルな見た目だが意外と多機能なアプリで、テキストでの文章作成はもちろん、メモ内に写真や動画を添付したり、マークアップツールで手書き文字やイラストを描けるほか、メモをフォルダで分類して整理しておける。作成したメモやフォルダはiCloudで同期されるので、iPhoneやMacでも同じメモの表示と編集が可能だ。また、どの画面からでも画面右下の角から左上にフリックするだけで、小型ウインドウでメモ作成画面が開いて素早くメモできる（クイックメモ機能）。

メモアプリでメモを作成する

1 新規メモを作成する

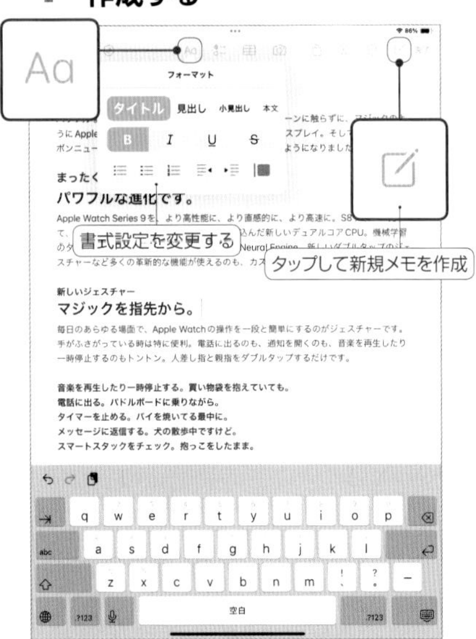

Aa
書式設定を変更する
タップして新規メモを作成

右上の新規作成ボタンをタップすると新しいメモを作成できる。メモの1行目がメモのタイトルになる。また、上部の「Aa」ボタンで見出しスタイルなどの書式設定を変更可能だ。

2 写真や書類を貼り付ける

タップ
手書き文字に写真を重ねると、文字は写真の前面に表示される

上部のカメラボタンをタップすると、写真やビデオを撮影したり、写真アプリから選択してメモに貼り付けできる。また「書類をスキャン」で書類を撮影するとPDF形式で保存して貼り付けできる。

3 手書きで文字やイラストを描く

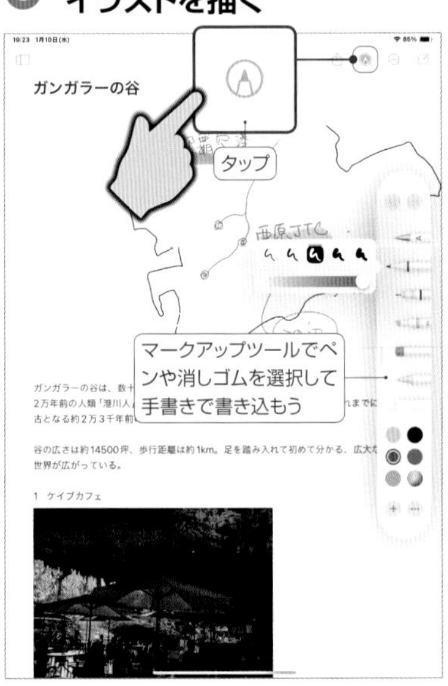

ガンガラーの谷
タップ
マークアップツールでペンや消しゴムを選択して手書きで書き込もう

上部のマークアップボタンをタップするとマークアップツールが表示され、Apple Pencilや指を使って手書きで文字やイラストを描ける。ペンやカラーボタンをタップすると太さや色を変更できる。

オススメ操作

作成したメモはフォルダで整理しよう

画面左上のボタンをタップするとサイドバーでメモが一覧表示され、さらに左上の「フォルダ」をタップするとフォルダ一覧が開く。フォルダ一覧の左下のボタンで新規フォルダを作成できるので、「買い物」「仕事」といったフォルダを作成しておこう。メモを左右にスワイプするか、ロングタップしてメニューを表示すると、メモをフォルダに移動したり削除するといった操作を行える。

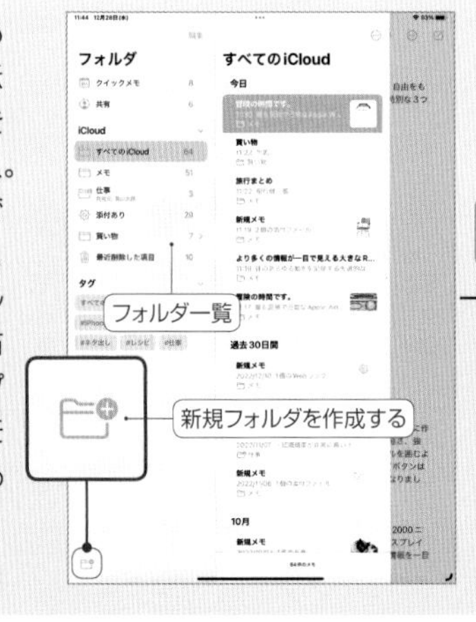

フォルダ
すべてのiCloud
フォルダ一覧
新規フォルダを作成する

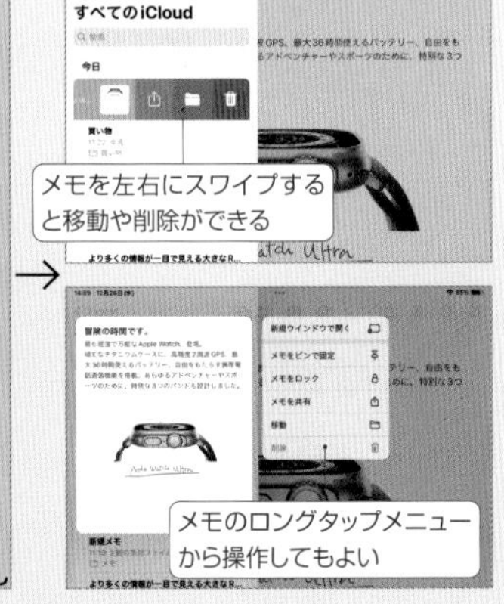

すべてのiCloud
メモを左右にスワイプすると移動や削除ができる
メモのロングタップメニューから操作してもよい

アプリ

069

(WED 28 カレンダー)

iPadで予定を把握しよう
カレンダーアプリでスケジュールを管理する

標準の「カレンダー」アプリを使えば、仕事や趣味のイベントを登録して、いつでもスケジュールを確認できる。カレンダーは日、週、月、年で表示モードを切り替えでき、イベントのみを一覧表示してざっと確認することも可能だ。イベントを作成したい日時をロングタップすると、新規イベント（予定）の作成画面が開くので、開始／終了時刻や場所、通知などを設定して「追加」をタップしよう。作成したイベントの内容を変更したい時は、イベントをタップして「編集」をタップすればよい。作成したイベントはiCloudで同期されるので、iPhoneやMacでも同じイベントを表示したり編集できる。

カレンダーに新規イベントを作成する

1 見やすい表示モードに切り替える

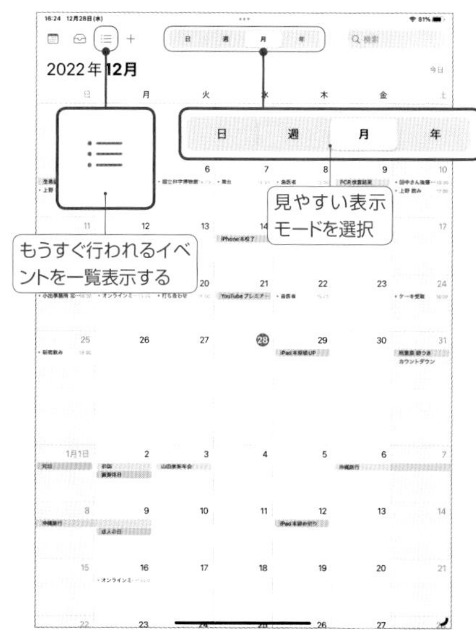

2022年12月
日
週
月
年
見やすい表示モードを選択
もうすぐ行われるイベントを一覧表示する

上部にあるボタンで、日、週、月、年の4つの表示モードに切り替えできる。見やすい表示モードに切り替えてイベント（予定）を確認しよう。また、左上のボタンでイベントのみを一覧表示できる。

2 新規イベントを作成する

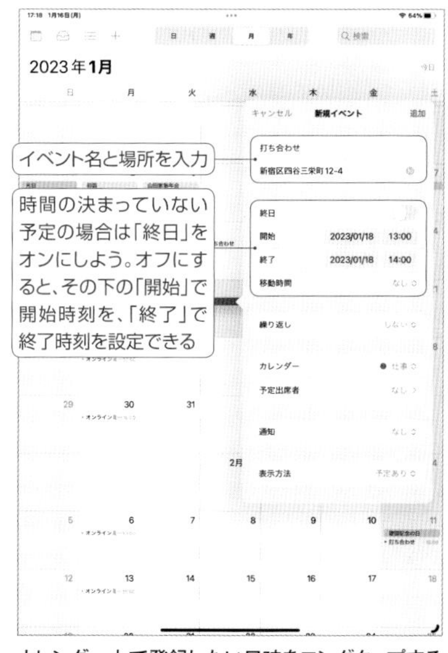

2023年1月
キャンセル
新規イベント
追加
イベント名と場所を入力
時間の決まっていない予定の場合は「終日」をオンにしよう。オフにすると、その下の「開始」で開始時刻を、「終了」で終了時刻を設定できる

カレンダー上で登録したい日時をロングタップすると、新規イベントの作成（予定の登録）画面が表示される。イベント名や場所、日時を設定して右上の「追加」をタップすれば、イベントが作成される。

3 イベントの通知や繰り返し設定を行う

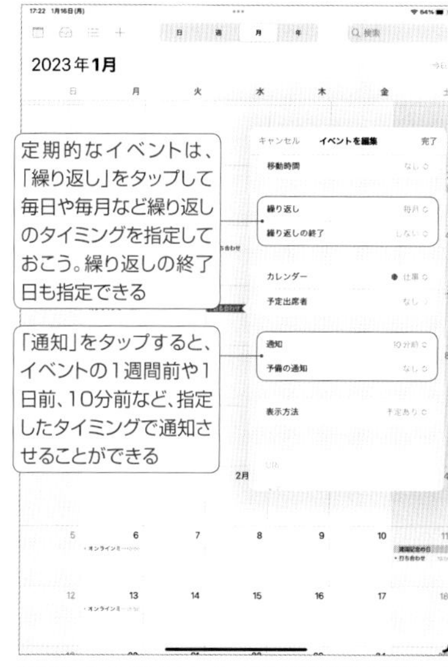

2023年1月
定期的なイベントは、「繰り返し」をタップして毎日や毎月など繰り返しのタイミングを指定しておこう。繰り返しの終了日も指定できる
「通知」をタップすると、イベントの1週間前や1日前、10分前など、指定したタイミングで通知させることができる

作成したイベントは、タップして「編集」ボタンをタップすると内容を編集できる。イベントの開始時刻前に通知してほしい場合は「通知」を、定期的なイベントは「繰り返し」を設定しておこう。

オススメ操作

複数のカレンダーを使い分けよう

カレンダーアプリで「仕事」や「プライベート」など用途別のカレンダーを作成しておくと、仕事用のイベントは赤色、プライベート用のイベントは青色など、イベントの種類によって色分け表示されるようになり、何の種類のイベントかひと目で分かるので覚えておこう。イベント作成時に「カレンダー」欄をタップすることで、どのカレンダーに追加するかを選択できる。

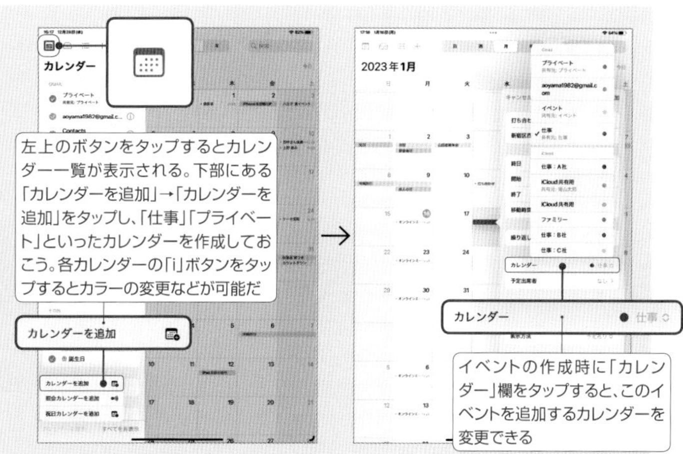

カレンダー
左上のボタンをタップするとカレンダー一覧が表示される。下部にある「カレンダーを追加」→「カレンダーを追加」をタップし、「仕事」「プライベート」といったカレンダーを作成しておこう。各カレンダーの「i」ボタンをタップするとカラーの変更などが可能だ
カレンダーを追加
2023年1月
カレンダー
仕事
イベントの作成時に「カレンダー」欄をタップすると、このイベントを追加するカレンダーを変更できる

アプリ

070（アプリ）

140文字のメッセージで世界中とゆるくつながる

X(旧Twitter)で友人の日常や世界のニュースをチェック

X(旧Twitter)は、一度に140文字以内の短い文章(「ポスト」と言う)を投稿できるサービスだ。誰かが投稿したポストは自由に読んだり返信でき、気に入ったユーザーを「フォロー」しておけば、そのユーザーのポストを自分のホーム画面(タイムライン)に表示できる。著名人の近況や最新ニュースをチェックしたり、今みんなが何を話題にしているかといった情報がリアルタイムで分かるので、すでにiPhoneやスマホで利用している人も多いだろう。iPadでも同じXアカウントでログインすれば、iPhoneやスマホと同じタイムラインやポストを読むことができる。

iPhoneやスマホと同じXの画面を表示する

1 ログインをタップする

X
作者／X Corp.
価格／無料

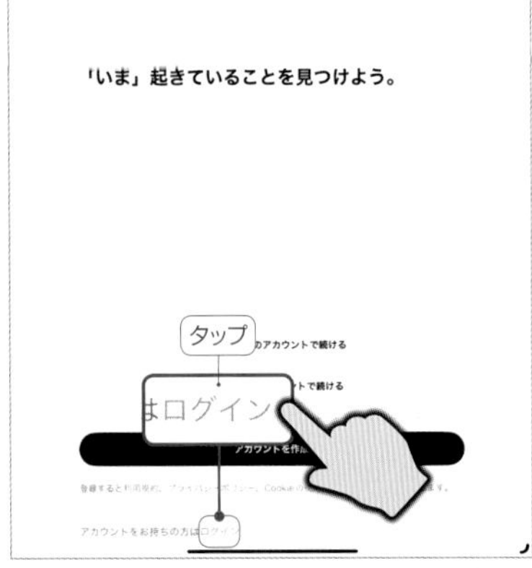

「いま」起きていることを見つけよう。
タップ
はログイン

Xアプリを起動すると、アカウントの新規作成またはログインが求められる。すでにiPhoneやスマホでXを使っているなら、下の方にある「ログイン」をタップしよう。

2 すでに使っているアカウントでログイン

始めるには、まず電話番号、メールアドレス、またはユーザー名を入力してください
Xに登録した電話番号かメールアドレス、またはユーザー名を入力する

iPhoneやスマホで使っているXアカウントの、登録した電話番号かメールアドレス、ユーザー名を入力して「次へ」をタップ。続けてパスワードを入力し「ログイン」をタップする。

3 iPhoneやスマホと同じ画面が表示される

ログインが完了すると、iPhoneやスマホのXと同じタイムラインを読むことができる。もちろんiPadから投稿したポストも、iPhoneやスマホのXアプリ画面に反映される。

こんなときは?

iPadで新規アカウントを作成するには

iPhoneやスマホでXを使っていないなら、iPadでXアカウントを新規作成して利用しよう。Xアプリを起動したら「アカウントを作成」をタップし、電話番号やメールアドレスで登録する。なお、「Googleのアカウントで続ける」や「Appleのアカウントで続ける」をタップすると、GoogleアカウントやApple IDを使ってXアカウントを新規作成することもできる。

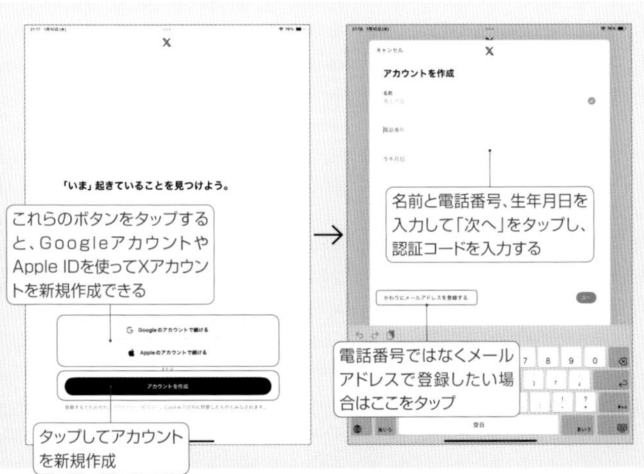

「いま」起きていることを見つけよう。
これらのボタンをタップすると、GoogleアカウントやApple IDを使ってXアカウントを新規作成できる
タップしてアカウントを新規作成
アカウントを作成
名前と電話番号、生年月日を入力して「次へ」をタップし、認証コードを入力する
電話番号ではなくメールアドレスで登録したい場合はここをタップ

Xの基本的な使い方

1 気になるユーザーをフォローする

フォローする
タップ

好きなユーザーのポストを自分のホーム画面（タイムライン）に表示したいなら、ユーザーのプロフィールページを開いて、「フォローする」をタップしよう。

2 ポストを投稿する

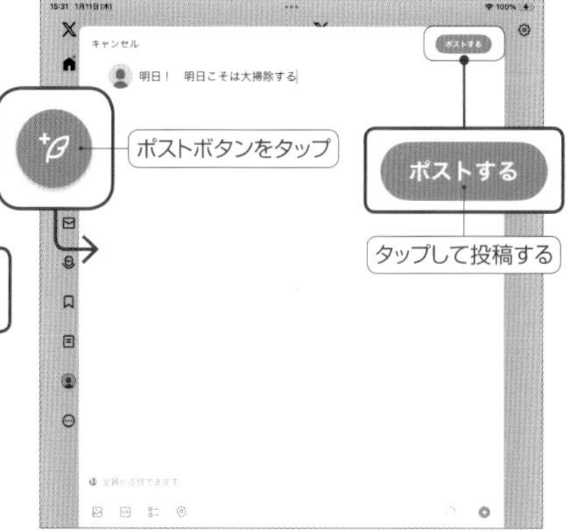

ポストボタンをタップ
ポストする
タップして投稿する

画面左下のポストボタンをタップすると、ポストの作成画面になる。140文字以内で文章を入力して、「ポストする」をタップで投稿しよう。画像などの添付も可能だ。

3 長文でポストしたいときは

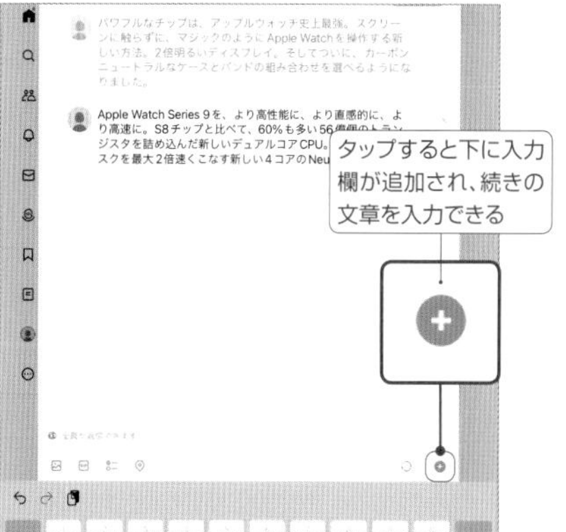

タップすると下に入力欄が追加され、続きの文章を入力できる

文章が140文字で収まらないときは、右下の「＋」をタップして続きの文章を入力しよう。ポストは分割されるが、最初のポストに連なる形で一連の文章をまとめてポストできる。

4 他のユーザーのポストを再投稿する

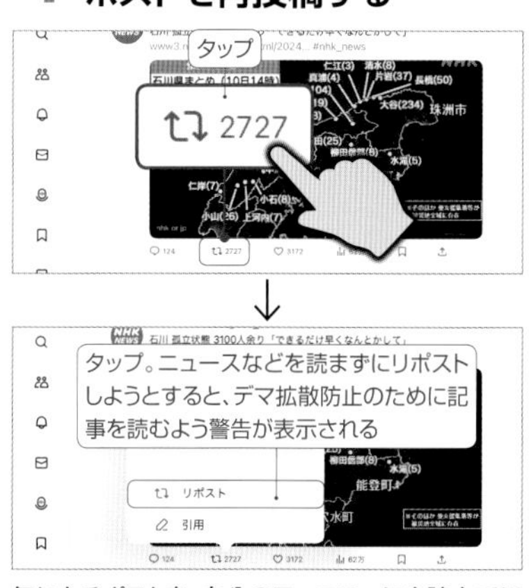

タップ
2727
タップ。ニュースなどを読まずにリポストしようとすると、デマ拡散防止のために記事を読むよう警告が表示される

気になるポストを、自分のフォロワーにも読んではしい時は、「リポスト」で再投稿しよう。ポストの下部にある矢印ボタンをタップし、「リポスト」をタップすれば投稿される。

5 ポストにコメントを追記して再投稿する

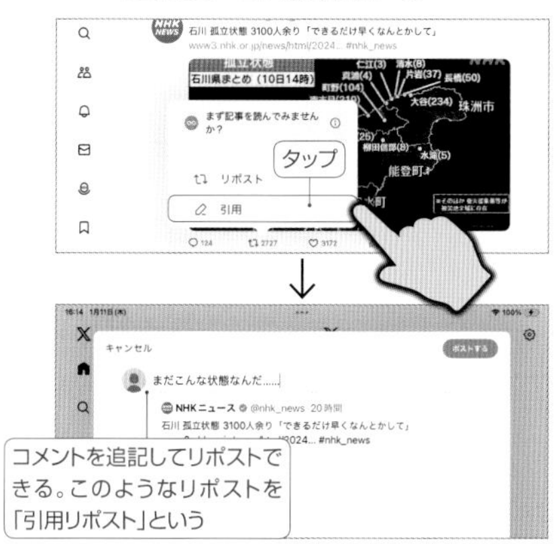

タップ
コメントを追記してリポストできる。このようなリポストを「引用リポスト」という

ポストに対しての自分の意見をフォロワーに伝えたい時は、リポストボタンをタップして「引用」をタップしよう。元のポストにコメントを追記した上でリポストできる。

6 ポストに返信を投稿する

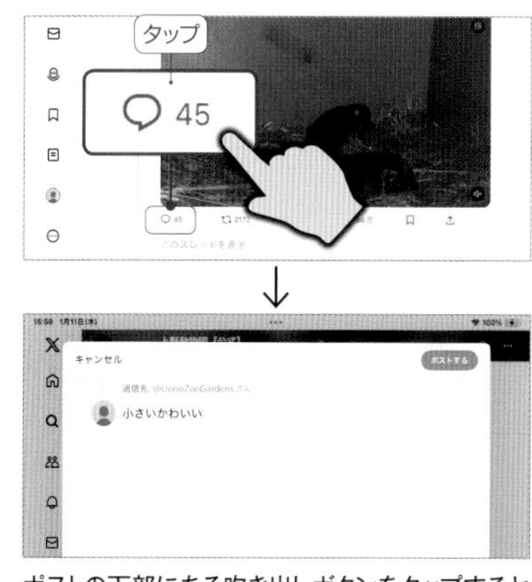

タップ
45

ポストの下部にある吹き出しボタンをタップすると、このポストに対して返信（リプライ）を送ることができる。返信ポストは、自分のフォロワーからも見られる。

7 気に入ったポストを「いいね」する

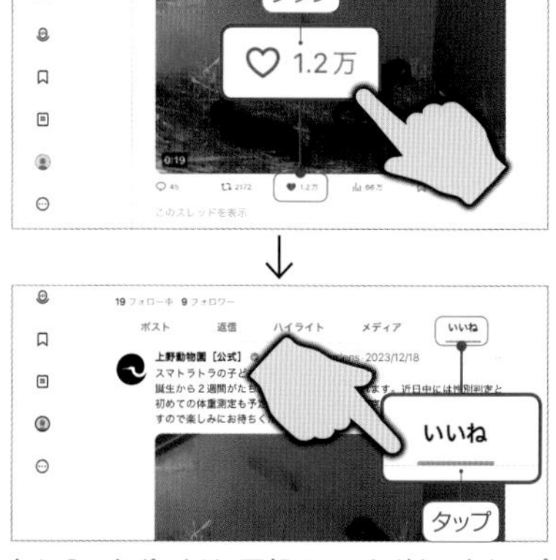

タップ
1.2万
いいね
タップ

気に入ったポストは、下部のハートボタンをタップして「いいね」しておこう。自分のプロフィールページの「いいね」タブで、いいねしたポストを一覧表示できる。

8 ポストをキーワードで検索する

キーワードを入力して検索
タップ

左メニューの虫眼鏡ボタンからポストを検索できる。人気のポストのみチェックしたいなら「話題」タブを、キーワードを含むポストを新着順に見たいなら「最新」タブを開こう。

9 ダイレクトメッセージ（DM）を送る

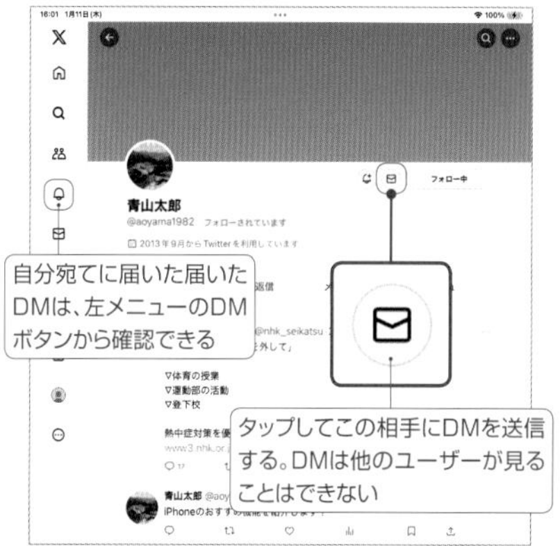

自分宛てに届いた届いたDMは、左メニューのDMボタンから確認できる
タップしてこの相手にDMを送信する。DMは他のユーザーが見ることはできない

特定のユーザーと個別にメッセージをやり取りできる機能がDMだ。DMの送信を許可しているユーザーは、プロフィール画面にDMボタンが表示されている。これをタップするとDMを送信できる。

アプリ
071 手書きに特化したGoodNotes 6がおすすめ 本格的なノートアプリを仕事や勉強に利用する

(アプリ)

紙のノートに書くのと同じ感覚で会議や授業の内容をまとめたい人におすすめなのが、手書きに特化したノートアプリ「GoodNotes 6」だ。手書き入力での書き心地が良く、ペンの太さやカラーを直感的に変更できるほか、フォルダで階層化してノートを管理できる点も使いやすい。画像を挿入したり、なげなわツールで文字を囲んで移動もできる。手書きが前提なので、Apple Pencil(No072で解説)と組み合わせて利用しよう。なお、無料版では作成できるノートが3冊までで、手書き文字をキーワード検索することもできない。有料版を購入するかサブスクリプションで契約すると制限が解除される。

フォルダと新規ノートの作成手順

1 ノート整理用のフォルダを作成する

GoodNotes 6
作者/Time Base Technology Limited
価格/無料

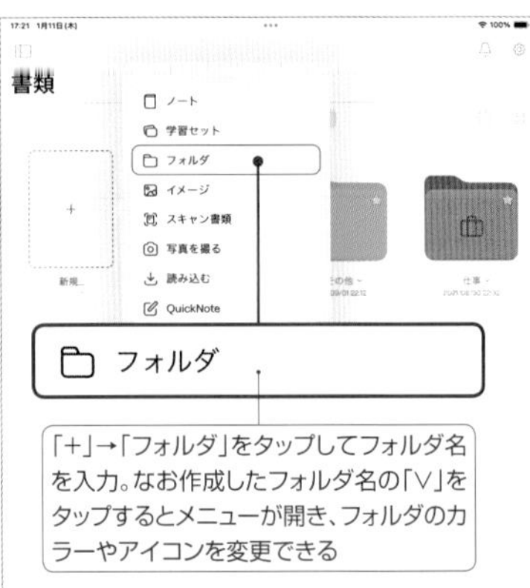
書類
ノート
学習セット
フォルダ
イメージ
スキャン書類
写真を撮る
読み込む
QuickNote
フォルダ
「+」→「フォルダ」をタップしてフォルダ名を入力。なお作成したフォルダ名の「∨」をタップするとメニューが開き、フォルダのカラーやアイコンを変更できる

まず「書類」画面を開いて「+」→「フォルダ」をタップ。あらかじめ「仕事」「個人」「その他」など、ノートを整理するフォルダを作成しておこう。フォルダ内に別のフォルダも作成できる。

2 フォルダ内で新規ノートを作成する

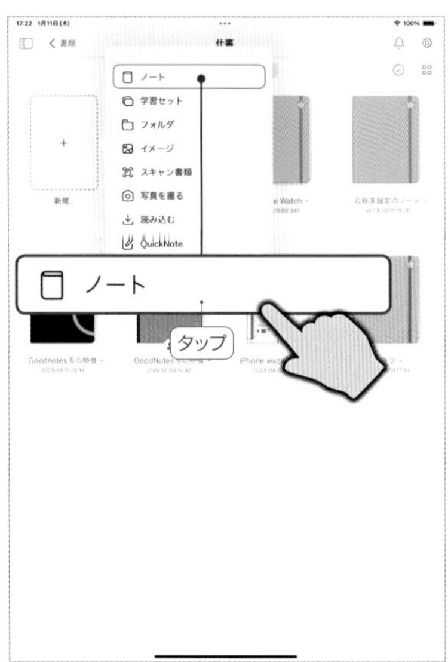
仕事
ノート
学習セット
フォルダ
イメージ
スキャン書類
写真を撮る
読み込む
QuickNote
ノート
タップ

作成したフォルダを開き、「+」→「ノート」をタップすると新規ノートを作成できる。不要なノートは、右上のチェックボタンで選択し、「ゴミ箱」をタップすれば削除できる。

3 テンプレートから表紙と用紙を選択

キャンセル
新規ノート
作成
名前
言語
表紙
サイズ Goodnotes 標準, 縦向き
縦向きと横向き、用紙のサイズを変更する
カラフル
ノートを開いた状態で右上の「…」→「テンプレートを変更」をタップすれば、あとからでもテンプレートを変更できる

ノートの名前を付けたら、表紙と用紙のデザインをテンプレートから選択し、「作成」ボタンをタップしよう。テンプレートは横向きと縦向きがあるので、使いやすい向きに決めておくこと。

設定ポイント

GoodNote 6のバックアップ設定を確認しよう

初回起動時に「iCloudをオンにしてAppleデバイス間で同期」をオンにしていれば、作成したノートやフォルダは自動的にiCloud(iPadやiPhoneのユーザーが利用できるネット上の保存スペース)にバックアップされる。歯車ボタンから「クラウド&バックアップ」→「クラウドストレージ」を開き、「iCloudを使用して書類を同期」がオンになっているか確認しよう。

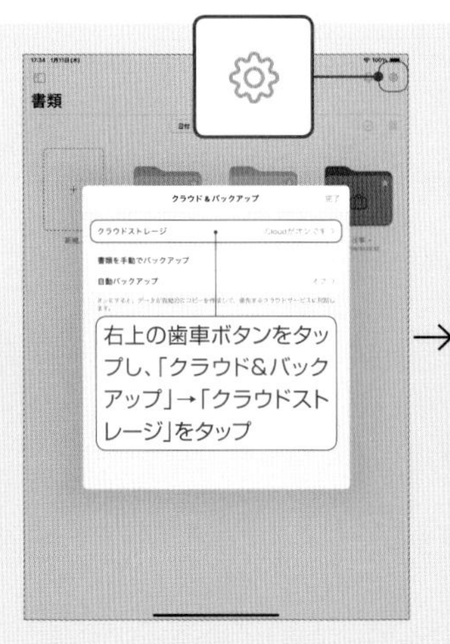
書類
クラウド&バックアップ
クラウドストレージ
右上の歯車ボタンをタップし、「クラウド&バックアップ」→「クラウドストレージ」をタップ

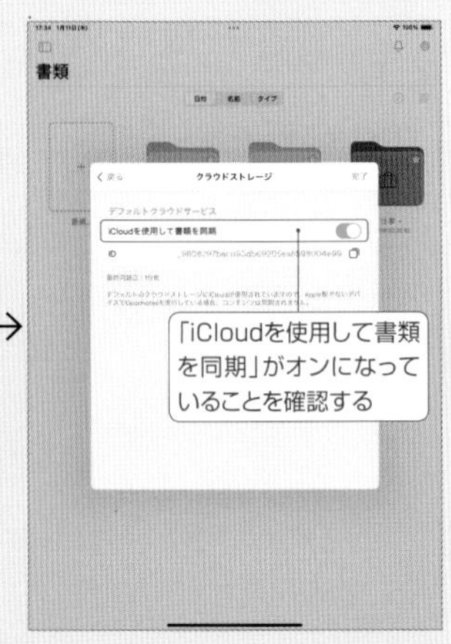
書類
クラウドストレージ
「iCloudを使用して書類を同期」がオンになっていることを確認する

GoodNotes 6の基本的な使い方

1 ノートに手書きで メモしていく

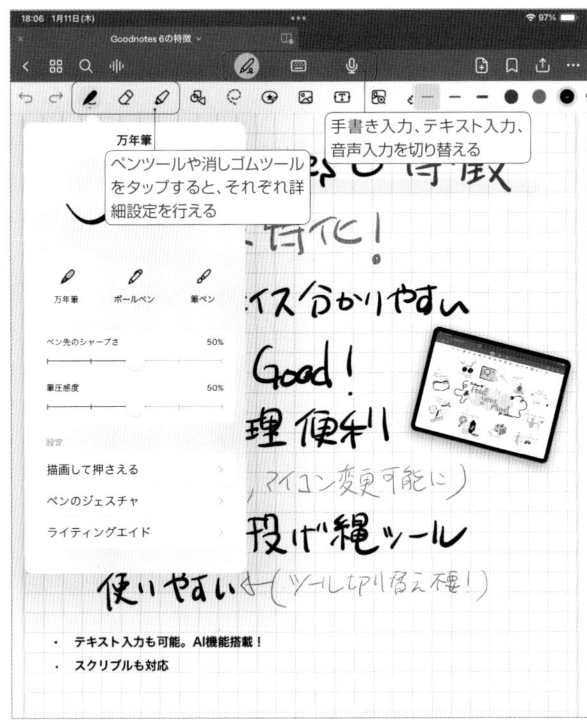

手書き入力、テキスト入力、音声入力を切り替える
ペンツールや消しゴムツールをタップすると、それぞれ詳細設定を行える

ノートを作成したら、上部ツールバーのボタンで手書き入力とテキスト入力、音声入力を切り替えできる。手書き入力ボタンをタップし、その下のメニューボタンでペンの種類や太さを選択してから書き込もう。なお、ペンツールや消しゴムツールを選択した状態でもう一度タップすると、詳細設定のメニューが開く。

2 新しいページを 追加する

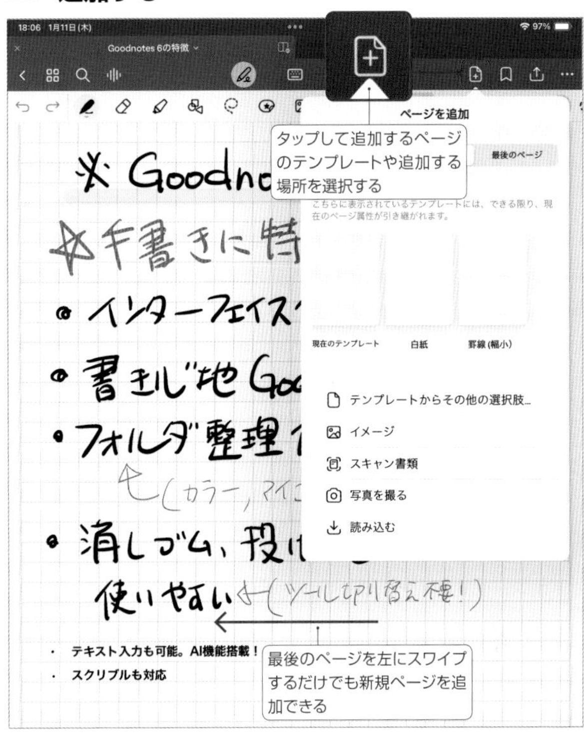

タップして追加するページのテンプレートや追加する場所を選択する
最後のページを左にスワイプするだけでも新規ページを追加できる

画面右上の「＋」ボタンをタップすると、テンプレートを選択して新しいページを追加できる。また、最後のページを左にスワイプするだけでも、新規ページが追加される。不要なページは、右上の「…」→「ページをゴミ箱に移動」をタップすれば削除できる。

3 画像を読み込んで 貼り付ける

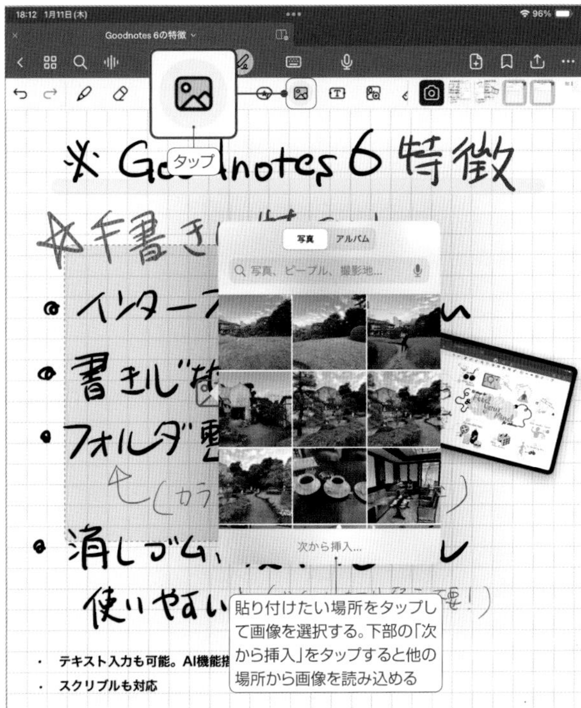

タップ
貼り付けたい場所をタップして画像を選択する。下部の「次から挿入」をタップすると他の場所から画像を読み込める

ノートに画像を貼り付けたい場合は、手書き入力のメニューから画像ボタンをタップ。続けてノート内の貼り付けたい場所をタップすると、写真アプリに保存されている写真から選択できる。また、下部の「次から挿入」をすると、iCloud DriveやDropboxなど他の場所に保存された画像を読み込んで貼り付けできる。

4 なげなわツールで 囲んだ範囲を動かす

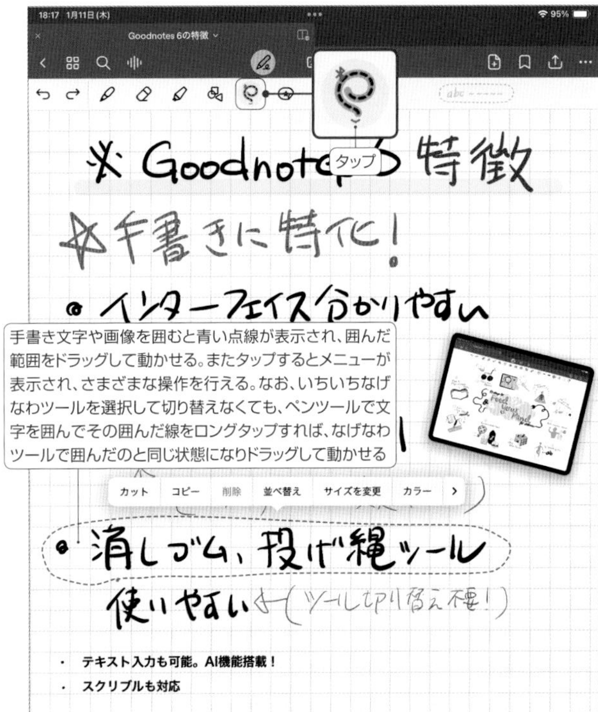

タップ
手書き文字や画像を囲むと青い点線が表示され、囲んだ範囲をドラッグして動かせる。またタップするとメニューが表示され、さまざまな操作を行える。なお、いちいちなげなわツールを選択して切り替えなくても、ペンツールで文字を囲んでその囲んだ線をロングタップすれば、なげなわツールで囲んだのと同じ状態になりドラッグして動かせる

手書き入力のメニューからなげなわツールを選択し、手書き文字や画像をぐるっと囲むと、囲んだ範囲をドラッグして好きな場所に移動できる。また囲んだあとに選択範囲をタップするとメニューが表示され、カットやコピー、サイズ変更を行えるほか、手書き文字をテキストに変換することもできる。

アプリ
072

（本体操作）

一度使えば手放せない書き心地を体感しよう

Apple Pencilは最高の手書きツール

iPadで手書きメモやイラストを描きたい人は、ぜひApple Pencilを使ってみよう。他社製の安価なスタイラスペンと違って、ペン先の筆圧（USB-Cモデルを除く）や傾きをしっかりと検知し、繊細なタッチの線画なども完璧にこなすことができる。紙にボールペンで書くのと変わらない書き心地で、会議の内容をサッと手書きでメモしたり、PDF書類に手書きで注釈を書き込むのにも最適だ。なおApple Pencilは3種類のモデルが用意されており、それぞれ対応するiPadも機能も異なる点に注意しよう。特にUSB-Cモデルは筆圧感知に対応しないので、繊細なイラスト用途にはあまり向いていない。

Apple Pencilの特徴と使い方

Apple Pencil（第2世代）

価格　19,880円（税込）
対応モデル　iPad Air（第4世代以降）、iPad mini（第6世代以降）、12.9インチiPad Pro（第3世代以降）、11インチiPad Pro

Apple Pencil（第1世代）

価格　14,880円（税込）
対応モデル　iPad mini（第5世代）、iPad（第6～9世代／第10世代は変換アダプタが必要）、12.9インチiPad Pro（第1、第2世代）、10.5インチiPad Pro、9.7インチiPad Pro

Apple Pencil（USB-C）

価格　12,880円（税込）
対応モデル　iPad Air（第4世代以降）、iPad mini（第6世代以降）、iPad（第10世代）、12.9インチiPad Pro（第3世代以降）、11インチiPad Pro

第2世代は本体側面にマグネットで取り付けてワイヤレスでペアリングと充電ができ、筆圧感知やダブルタップによるツール切り替え機能を備えた最上位モデル。第1世代はLightningコネクタでペアリングと充電を行い、筆圧感知に対応する。USB-CモデルはUSB-Cコネクタでペアリングと充電を行い、ワイヤレス充電はできないが側面にマグネット取り付けも可能。ただし筆圧感知には対応せず、繊細で本格的なイラスト制作には向かない。

Apple Pencil
92%
松戸市
足立区
葛飾区
打ち合わせ
英会話教室
FaceTime
ファイル
リマインダー
マップ
カメラ
App Store
ブック

第2世代はワイヤレスでペアリング&充電

Apple Pencil
92%

Apple Pencil（第2世代）のみ、iPadの右側面にマグネットで取り付けるだけで、すぐにApple Pencilがペアリングされて使い始めることができる。また取り付けた際は画面にバッテリー残量が表示され、自動的に充電も開始される。取り付ける向きは上下どちらでもよい。

メモアプリでApple Pencilを使う

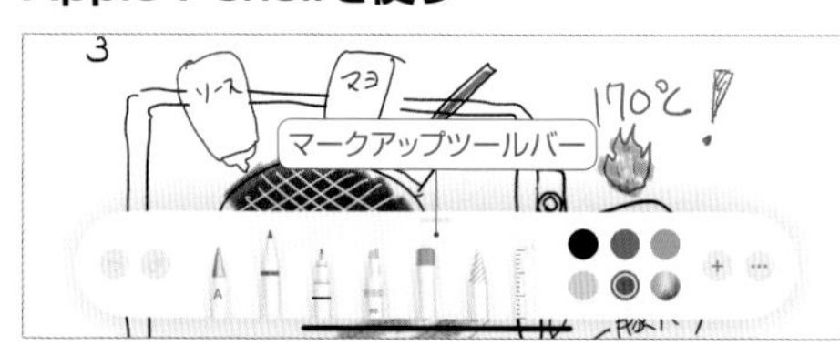

マークアップツールバー

まずは、標準のメモアプリで試してみよう。メモアプリを起動したら、手書きしたい場所をApple Pencilでタップ。自動的に描画モードに切り替わり、メモやスケッチを手書き入力できる。Apple Pencilで手書きしているときは「マークアップツールバー」が表示され、ペンの種類や太さ、カラーを変更可能だ。

こんなときは?

第1世代とUSB-Cモデルのペアリング&充電方法

第1世代は尻軸のキャップを外すとLightningコネクタが出現し、iPadのコネクタに差し込むか変換アダプタやケーブルで接続すればペアリングと充電を行える。

USB-Cモデルは尻軸をスライドさせるとUSB-Cコネクタの差込口が出現し、USB-CケーブルでiPadと接続すればペアリングと充電を行える。

アプリ
073 本格的なイラストを描けるアプリを使おう iPadでお絵描きを楽しむ

アプリ

iPadでイラストを楽しむなら、さまざまなブラシや機能を使って描画できるイラストアプリを使おう。「Sketchbook」は、無料ながら豊富なブラシと細かな設定が用意された人気のイラストアプリ。操作性が比較的がシンプルなので、初めて使うイラストアプリとしても最適だ。No072で解説したApple Pencilを使えば、筆圧や濃淡を表現しながら本格的なイラストを描画できるが、なければ指を使って描くこともできる。レイヤーやグラデーション、パースガイドなどの便利なツールも多数備えているので、まずは基本的な操作方法を覚えて、慣れてきたらその他のツールを使いこなそう。

Sketchbookでイラストを描く

1 Sketchbookの画面構成

Sketchbook
作者／Sketchbook, Inc
価格／無料

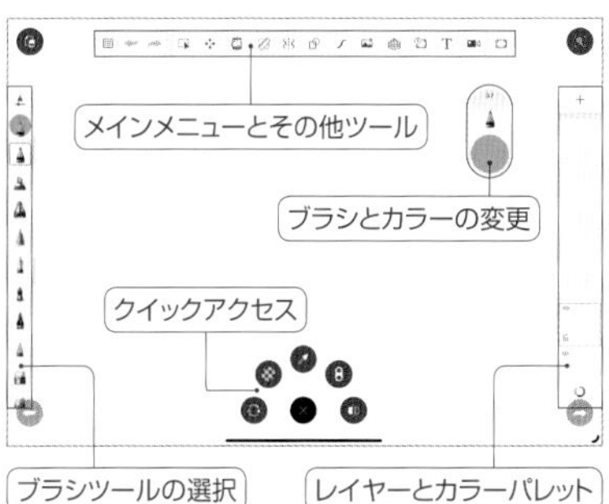
メインメニューとその他ツール
ブラシとカラーの変更
クイックアクセス
ブラシツールの選択
レイヤーとカラーパレット

アプリを起動すると白いキャンバスが表示される。左メニューでブラシを選択でき、右メニューにレイヤーとカラー、上部にその他のメニューとツールがまとめられている。

2 ブラシの種類やカラーを変更する

ブラシのサイズや不透明度を変更。「詳細」で筆圧なども変更できる
タップしてカラーパレットを開く

左メニューでブラシをタップすると詳細設定が開き、サイズや不透明度、筆圧設定などが可能だ。また丸いカラーボタンをタップするとカラーパレットが表示され、描画色を自由に変更できる。

3 イラストを描いて保存する

保存
タップ

イラストを描いたら、上部メニュー左端のボタンから「保存」→「ギャラリーに保存」で保存できる。なお、「新しいスケッチ」で新規キャンバスを作成でき、「ギャラリー」でギャラリー一覧に戻る。

設定ポイント

200種類以上のブラシから選択できる

左メニューに用意されているブラシはほんの一部で、Sketchbookには200種類以上のブラシツールが用意されている。適当なブラシの詳細設定を開いたら、上部の左側のタブをタップしてみよう。すべてのブラシが一覧表示されて選択できるようになる。鉛筆だけでも4Hから9Bの15種類から選べるほか、ハーフトーンなどマンガやイラスト制作に役立つ特殊なブラシも豊富だ。

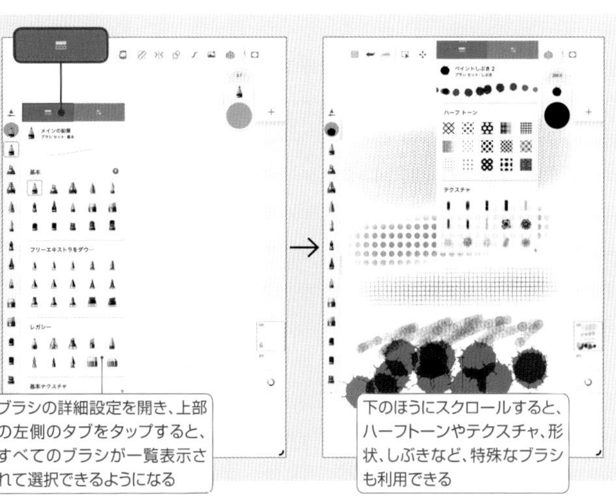

ブラシの詳細設定を開き、上部の左側のタブをタップすると、すべてのブラシが一覧表示されて選択できるようになる

下のほうにスクロールすると、ハーフトーンやテクスチャ、形状、しぶきなど、特殊なブラシも利用できる

アプリ

074 さまざまな機能を呼び出せる便利なボタン アプリの「共有ボタン」をしっかり使いこなそう

本体操作

iPadでは、写真やWebサイトなどのデータを家族や友人に知らせることを「共有する」と言い、「送信する」に近い意味で使われる。この共有を行うためのメニューを表示するのが「共有ボタン」だ。共有ボタンはほとんどのアプリに用意されており、写真やWebサイトに限らず、おすすめのYouTube動画やX(旧Twitter)で話題の投稿、地図の位置情報、乗換案内の検索結果など、ありとあらゆる情報を共有できる。共有したいデータを開いたら、共有ボタンをタップして共有方法や送信先を選択しよう。また、データの送信以外にも、コピーや複製などの機能も共有ボタンから利用できる。

使いこなしPOINT

共有ボタンを利用する

1 メニューから共有方法を選択

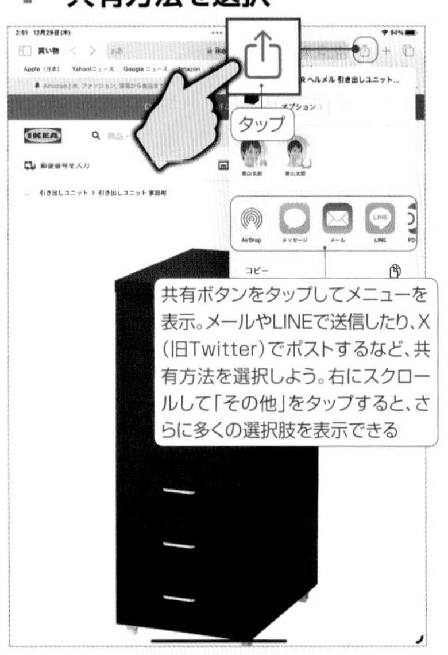
タップ
共有ボタンをタップしてメニューを表示。メールやLINEで送信したり、X(旧Twitter)でポストするなど、共有方法を選択しよう。右にスクロールして「その他」をタップすると、さらに多くの選択肢を表示できる

Safariで見ているサイトを友人や家族に教えたい場合は、上部の共有ボタンをタップして、共有メニューで送信手段を選ぼう。

2 共有手段のアプリでデータを送信する

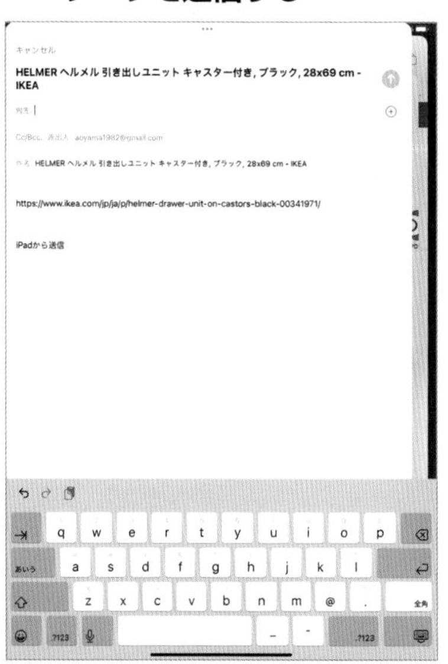

選択したアプリ(ここではメール)が起動するので、宛先を入力して送信しよう。なお、よく送信している相手や送信手段は共有メニュー上部に表示され、すぐに選択できるようになる。

共有メニューのさまざまな機能

共有メニューにはその他にもさまざまなメニューが表示される。項目はアプリによって異なる。たとえばSafariの場合は、URLのコピーやブックマークへの追加などを行える。

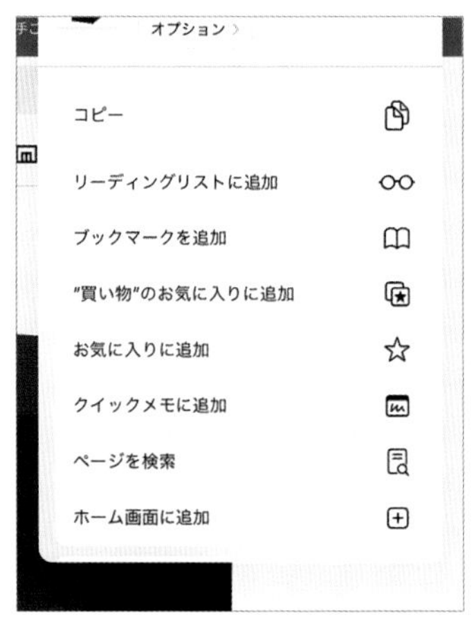
オプション
コピー
リーディングリストに追加
ブックマークを追加
"買い物"のお気に入りに追加
お気に入りに追加
クイックメモに追加
ページを検索
ホーム画面に追加

各種アプリでの共有方法

アプリによっては、共有ボタンのデザインやメニューが異なるが、送信手段のアプリを選んで送信先を選択するという操作手順は変わらない。ここではYouTubeとGoogleマップの共有方法を紹介する。

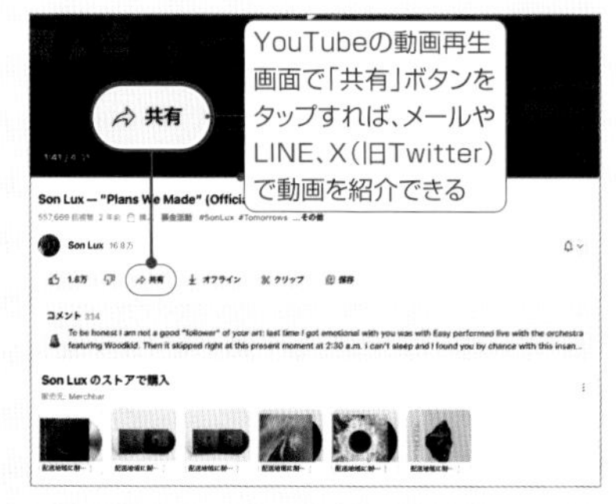
共有
YouTubeの動画再生画面で「共有」ボタンをタップすれば、メールやLINE、X(旧Twitter)で動画を紹介できる

共有
Googleマップでスポットを選択し「共有」をタップすれば、位置情報を送信可能。受け取った側がGoogleマップで同じ場所を確認できる

アプリ

075 地図アプリはGoogleマップがおすすめ

アプリ

標準マップよりも多機能で情報量が多い

地図アプリは標準の「マップ」（No063、064で解説）でも十分使いやすいが、別途「Googleマップ」を使うことをおすすめする。Googleマップは圧倒的にユーザー数が多く、同じスポットを検索しても口コミや写真の投稿が豊富に表示される。場所を知らせる際も、ユーザー数の多いGoogleマップで共有した方がスムーズにやり取り可能だ。また、お店のWebサイトのアクセスページなどはGoogleマップで表示されることが多いので、場所を確認したり保存する際にもGoogleマップアプリがあると便利。さまざまなシーンで活躍するので、ぜひインストールしておこう。

Googleマップの基本的な使い方

1 スポットを検索して調べる

Googleマップ
作者／Google LLC
価格／無料

東京ドーム
キーワードを入力してスポットを検索

上部のキーワード欄に施設名や住所を入力して検索すると、目的の場所が表示される。下部にはスポットの詳細情報が表示されるほか、口コミや写真の投稿も豊富だ。

2 目的地を指定してルート検索する

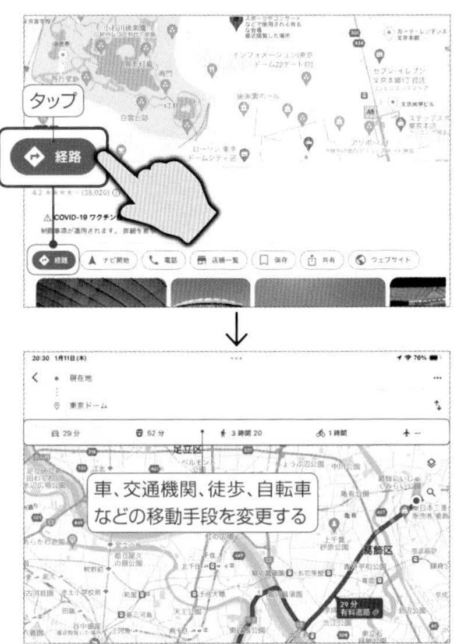

タップ
経路
車、交通機関、徒歩、自転車などの移動手段を変更する

目的地を検索して詳細画面の「経路」ボタンをタップすると、最適なルートと距離、所要時間などが表示される。移動手段に交通機関を選べば、複数の経路から選んで乗換案内を表示できる。

3 他のユーザーと場所を共有する

マクドナルド 後楽園店
知らせたい店や施設を検索
共有
下部の詳細画面で「共有」ボタンをタップし、メールなどで送信する。相手は受け取ったリンクをタップすると、Googleマップでその場所を表示できる

店や施設を他の人に知らせたいときは、マップでその場所を検索して、下部の詳細画面にある「共有」ボタンをタップ。メールやLINEなどで相手に送信すればよい。

オススメ操作

オフラインでも地図を表示できるように保存する

Googleマップは、ネット接続のないオフライン状態でも地図を表示できる「オフラインマップ」機能を備えている。あらかじめ指定した範囲の地図データを、端末内にダウンロード保存しておくことで、オンライン時と同じように地図を表示でき、スポット検索やルート検索（車のみ）も利用できるのだ。Wi-FiモデルのiPadでも外出先で地図を使えるようになるので、ぜひ活用しよう。

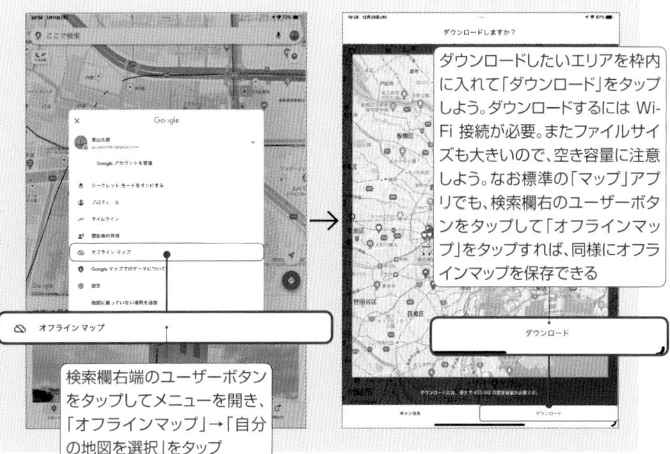

オフライン マップ
検索欄右端のユーザーボタンをタップしてメニューを開き、「オフラインマップ」→「自分の地図を選択」をタップ
ダウンロードしますか？
ダウンロードしたいエリアを枠内に入れて「ダウンロード」をタップしよう。ダウンロードするには Wi-Fi 接続が必要。またファイルサイズも大きいので、空き容量に注意しよう。なお標準の「マップ」アプリでも、検索欄右のユーザーボタンをタップして「オフラインマップ」をタップすれば、同様にオフラインマップを保存できる
ダウンロード

アプリ
076

(アプリ)

天候の急変も通知でチェックできる
最新の天気予報をiPadでチェック

標準の天気アプリよりも見やすく情報量が多い、定番の天気アプリが「Yahoo!天気」だ。アプリを起動すると、現在地や登録地点の天気を1時間ごとに3日分チェックできるほか、下部には17日分の天気予報も表示される。また下部メニューの「雨雲」をタップすると、雨雲レーダーで現在の雨雲の様子が表示され、再生ボタンをタップすると今後の雨雲の動きを確認可能だ。ゲリラ豪雨の回避や、外出時に傘を持つかどうかの判断に役立てよう。

Yahoo!天気
作者／Yahoo Japan Corp.
価格／無料

1 現在地や登録地点の天気予報を確認する

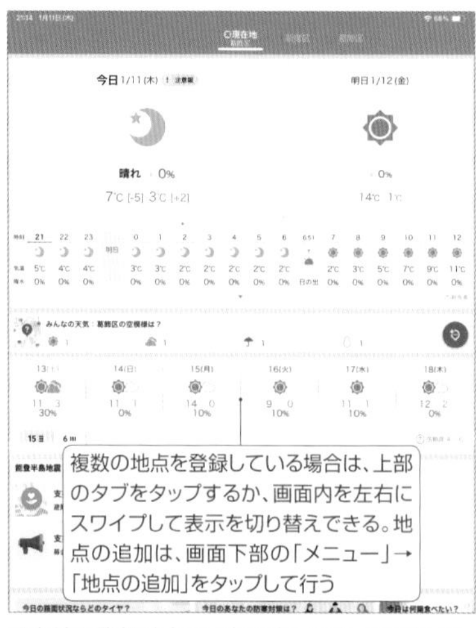

複数の地点を登録している場合は、上部のタブをタップするか、画面内を左右にスワイプして表示を切り替えできる。地点の追加は、画面下部の「メニュー」→「地点の追加」をタップして行う

現在地や登録地点の天気予報、最高／最低気温、降水確率などを数日分まとめて確認できる。下部の「全国」で全国の天気を表示。

2 雨雲レーダーで雨雲の動きを確認する

左下の再生ボタンをタップすると、今後の雨雲の動きがアニメーションで再生され、ゲリラ豪雨を回避したり、今日は傘が必要かどうかを判断できる
風レーダーや雷レーダーの画面に切り替える

下部の「雨雲」をタップすると、現在の雨雲の様子や今後の動きをアニメーションで確認できる、雨雲レーダーが表示される。

アプリ
077

(アプリ)

政治からエンタメまで最新情報が満載
あらゆるジャンルの最新ニュースをチェック

政治や経済、スポーツから、カジュアルなネットニュースまで国内外のあらゆる最新ニュースが随時更新される、定番ニュースサイト「Yahoo!ニュース」。iPhoneなら「Yahoo!ニュース」アプリでニュースのみをチェックできるが、iPad版は用意されていないので、ニュースや天気、防災通知、クーポンなど、Yahoo!のさまざまなサービスがまとめられた総合アプリ「Yahoo! JAPAN」を使おう。ツールバーにYahoo!ニュースを追加しておくと最新ニュースをチェックしやすい。

Yahoo! JAPAN
作者／Yahoo Japan Corp.
価格／無料

1 ホーム画面にYahoo!ニュースを追加

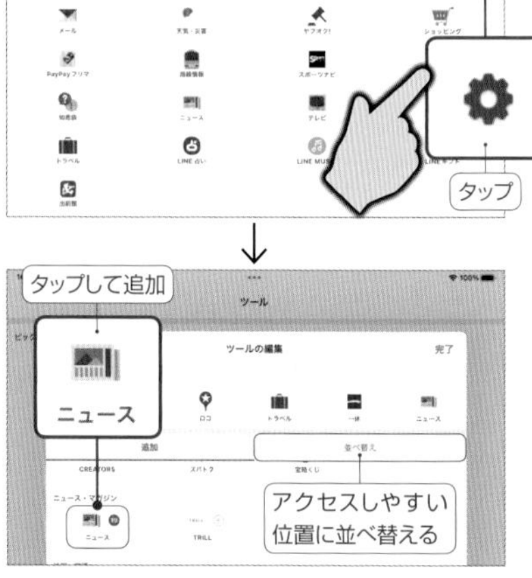

タップ
タップして追加
ニュース
アクセスしやすい位置に並べ替える

下部メニューの「ツール」画面で右上の歯車ボタンをタップし、「ニュース」を追加。「並べ替え」で1番目に並べ替えておこう。

2 Yahoo!ニュースで記事をチェック

ニュース
タップ
記事のジャンルはここで切り替える

ホーム画面のツールバーで「ニュース」をタップすると、「Yahoo!ニュース」の画面に切り替わり、各ジャンルの記事を読める。

アプリ 078 (アプリ) YouTubeの動画を全画面で再生しよう
YouTubeで世界中の人気動画を楽しむ

YouTubeをiPadで楽しむなら、公式のYouTubeアプリをインストールしよう。動画は右上の虫眼鏡ボタンでキーワード検索できる。今人気の動画をチェックしたいなら、上部メニューの左端のボタンをタップし、メニューから「急上昇」をタップしよう。観たい動画が見つかったら、サムネイルをタップして再生開始。横向きの全画面で動画を大きく再生させたい場合は、全画面ボタンを押してからiPadを横向きにすればよい。また、Googleアカウントを持っている場合は、ログインして利用するのがおすすめだ。好みに合った動画がホーム画面に表示されたり、お気に入り動画を保存できるようになる。

観たい動画を検索して全画面表示する

1 観たい動画をキーワード検索する

YouTube
作者／Google LLC
価格／無料

キーワードで検索し、検索結果から観たい動画をタップする

YouTubeアプリを起動したら、まずは画面右上の虫眼鏡ボタンをタップし、観たい動画をキーワード検索しよう。検索結果から観たいものを選んでタップすれば再生が開始される。

2 再生画面をタップして全画面ボタンをタップ

タップすると全画面再生になる

動画が縦画面で再生される。動画部分を1回タップして、各種ボタンを表示させよう。ここから右下のボタンをタップすれば、横向きの全画面で動画が表示される。

3 全画面で動画が再生される

タップすると全画面再生を解除する

iPadを横向きにして動画を楽しもう。元の縦画面に戻す場合は、再度動画をタップしてボタンを表示させ、右下のボタンをタップすればいい。

オススメ操作 動画を再生リストに登録する

Googleアカウントでログインしていれば、お気に入りの動画を再生リストに登録することができる。動画再生画面で「保存」をタップすれば、再生リストに登録できる。再生リストは、「マイページ」画面の再生リスト一覧から再生することが可能だ。また、動画のチャンネル自体を登録したい場合は「チャンネル登録」をタップ。「登録チャンネル」画面で、各チャンネルの最新動画が視聴できるようになる。

「保存」をタップして、再生リストか「後で見る」に登録しておく
保存
登録した再生リストや「後で見る」は、「マイページ」から閲覧できる
マイページ

アプリ
079 (アプリ)
人気の海外ドラマやオリジナル作品も充実
動画配信アプリで映画やドラマを鑑賞する

定額制の動画配信サービス「Netflix」に登録すれば、洋画や邦画、ドラマ、バラエティ、ドキュメンタリーなどさまざまなジャンルの作品を、iPadでいつでも好きなだけ視聴できる。自社制作のオリジナル作品も評価が高い。「広告つきスタンダード」「スタンダード」「プレミアム」の3つのプランが用意されており、広告つきスタンダードは作品の視聴中にスキップできない広告が流れるほか、一部の作品を視聴できない制限がある。広告の有無以外はスタンダードと同じで、フルHDで視聴できてダウンロードも可能だ。プレミアムは4K画質で視聴でき、同時に視聴やダウンロードができるデバイス数が増える。

ユーザー登録と基本的な使い方

1 Safariでユーザー登録を行う

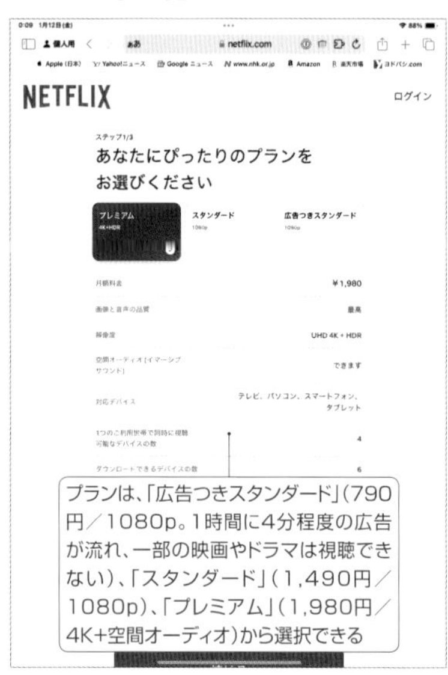
NETFLIX
ログイン
あなたにぴったりのプランをお選びください
プランは、「広告つきスタンダード」(790円／1080p。1時間に4分程度の広告が流れ、一部の映画やドラマは視聴できない)、「スタンダード」(1,490円／1080p)、「プレミアム」(1,980円／4K+空間オーディオ)から選択できる

アプリからアカウントを新規作成できないので、あらかじめSafariでhttps://www.netflix.com/signupにアクセスし、プランを選択してユーザー登録を済ませておこう。

2 観たい動画を探して視聴する

Netflix
作者／Netflix, Inc.
価格／無料

タップして再生開始

Netflixのアプリを起動し、作成したアカウントでログインしたら、キーワード検索などで観たい動画を探そう。「再生」ボタンをタップすると動画の再生が開始される。

3 オフラインでも視聴できるように保存する

タップするとエピソードごとにダウンロードできる

ダウンロードボタンを押すと、動画を端末内にダウンロード保存できる。ダウンロードしておけばオフライン時でも動画を視聴できる。

こんなときは?

その他人気の動画配信サービス

右で紹介する人気配信サービスも、それぞれの専用アプリがApp Storeで配信されている。サービス名でキーワード検索して入手しよう。

サービス名	料金	試用期間	特徴
Hulu	1,026円／月	なし	Netflixと並ぶ定番サービスで、配信数が多くオリジナル作品も充実。
Amazon プライム・ビデオ	600円／月、5,900円／年（Amazonプライム会員に登録）	30日間	Amazonプライム会員に登録すれば、自動的に映画や TV 番組も見放題になる。
U-NEXT	2,189円／月	31日間	映画やドラマ、アニメなど動画だけでなく、漫画や雑誌などの電子書籍も読める。
DAZN	4,200円／月	なし	スポーツ専用の動画配信サービス。野球など特定スポーツのみ視聴できるプランもある。
Tver	無料	なし	バラエティやドラマなど、民放のテレビ番組を無料で視聴できる見逃し配信サービス。
ABEMA	無料（プレミアム:960円／月）	2週間（プレミアム）	無料でバラエティやドラマを配信するネットTV。過去番組の視聴やダウンロードは有料。
Apple TV+	900円／月	7日間	Appleの動画配信サービス。コンテンツ数は少なめだが、オリジナル作品も楽しめる。

アプリ

080 Amazonでいつでもどこでも買い物をする

(アプリ)

欲しい物はiPadですぐに購入しよう

オンラインショッピングを楽しみたいのであれば、Amazonの公式アプリを導入しておくといい。iPadですぐに商品を探して、その場で注文することが可能だ。利用にはAmazonアカウントが必要になるので、持っていない人はあらかじめ登録しておくこと。なお、年額5,900円／月額600円(税込)のAmazonプライム会員に別途加入しておくと、対象商品の配送料や、お急ぎ便(最短1日で配送してくれる)、お届け日時指定便(お届け日と時間を指定できる)などの手数料が無料になる。Prime VideoやAmazon Prime Musicなどの各種サービスも使い放題になるので、まずは無料体験を試してみよう。

Amazonアプリで商品を探して購入する

1 Amazonアカウントでログインする

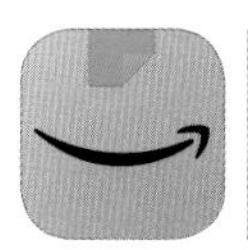

Amazon ショッピングアプリ
作者／AMZN Mobile LLC
価格／無料

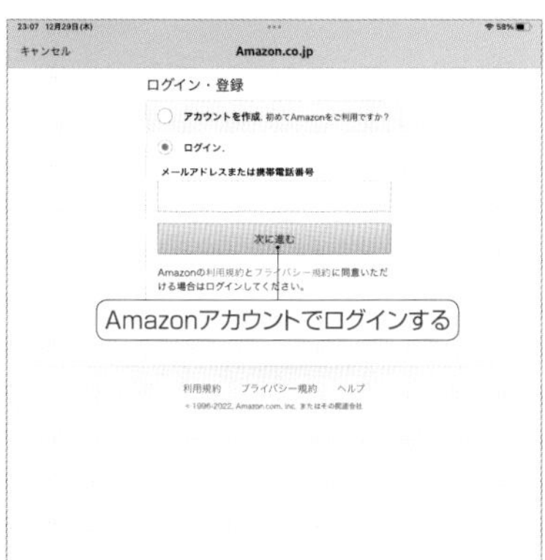

キャンセル
Amazon.co.jp
ログイン・登録
アカウントを作成
ログイン
メールアドレスまたは携帯電話番号
次に進む
Amazonアカウントでログインする

Amazonの公式アプリを起動したら、Amazonアカウントでログインしておこう。アカウントを持っていない人は「アカウントを作成」から自分の住所や支払情報などを登録しておくこと。

2 商品を検索して買いたいものを探す

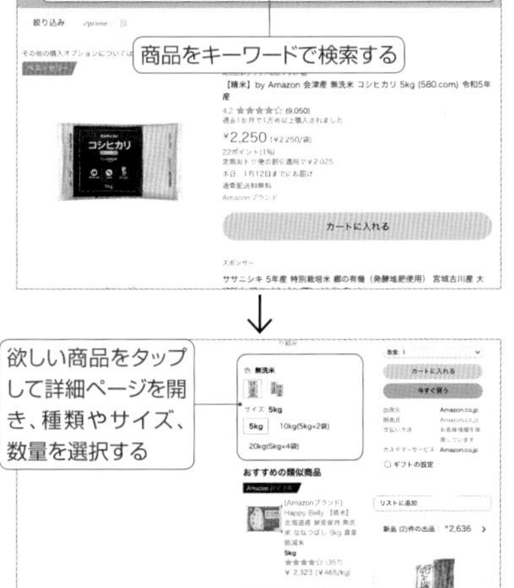

商品をキーワードで検索する
カートに入れる
欲しい商品をタップして詳細ページを開き、種類やサイズ、数量を選択する
おすすめの類似商品

検索欄にキーワードを入力して欲しい商品を探そう。見つかったら商品の画像をタップして詳細画面を表示。商品内容を確認して、問題なさそうであればサイズや数量を選択する。

3 商品をカートに入れて注文する

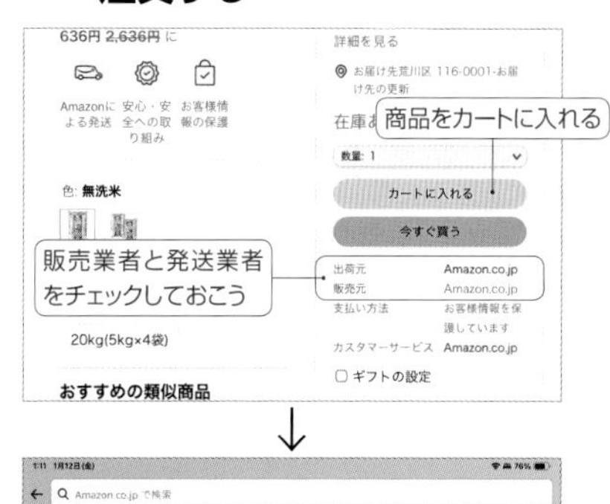

商品をカートに入れる
カートに入れる
今すぐ買う
販売業者と発送業者をチェックしておこう
20kg(5kg×4袋)
おすすめの類似商品
ギフトの設定

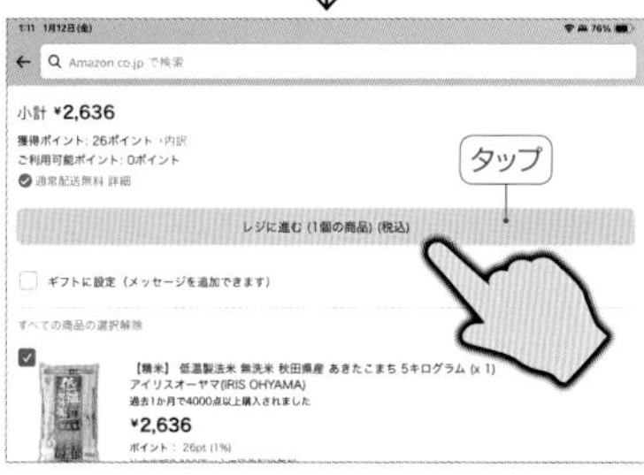

小計 ¥2,636
タップ
レジに進む (1個の商品) (税込)
¥2,636

商品を購入する場合は「カートに入れる」をタップし、続けて「カートに移動」→「レジに進む」をタップしよう。あとはお届け住所や支払い方法などを確認して注文を確定すればOKだ。

こんなときは?

Amazonの配送料について

Amazonの通常配送料は、発送業者が「Amazon」の商品であれば410円だ(北海道・九州・沖縄・離島の場合は450円)。ただし、合計2,000円以上の注文の場合は、配送料が無料になる。お急ぎ便やお届け日時指定便は、合計2,000円以上でも送料510円だ。プライム会員ならすべて無料になる。なお発送業者がAmazon以外の商品は、プライム会員であっても送料が個別にかかるので注意しよう。

Amazonのおもな配送料(発送業者がAmazonの場合)

配送の種類	通常会員	プライム会員
通常配送料	410円	無料
	(北海道・九州・沖縄・離島は450円) ※計2,000円以上の注文で無料	
お急ぎ便	510円	無料
	(北海道・九州・沖縄は550円。離島は対象外)	
お届け日時指定便	510円	無料
	(北海道・九州は550円。沖縄や離島は対象外)	

※発送業者がAmazon以外の商品はプライム会員でも配送料がかかる

アプリ
081

アプリ

AmazonのKindleで電子書籍を読もう

iPadで電子書籍を楽しむ

電子書籍をiPadで読みたいのであれば、Amazonの電子書籍アプリ「Kindle」をインストールしておこう。漫画、ビジネス書、実用書、雑誌など、幅広いジャンルの本をダウンロードして読むことができる。ただし、Kindleアプリからは電子書籍の購入ができないので要注意。あらかじめSafariでAmazonにアクセスし、読みたいKindle本を購入しておこう。また、本好きの人は、月額980円で200万冊以上が読み放題となる「Kindle Unlimited」に加入しておくといい。Amazonのプライム会員であれば、常に1,000冊以上の本が読み放題となる「Prime Reading」も利用できる。

Kindleで電子書籍を読んでみよう

1 Amazonにアクセスして読みたい本を購入する

「Kindle版」を選択する
タップしてKindle本を購入する

Kindle本は、KindleアプリやNo080で解説しているAmazonショッピングアプリでは購入できない。SafariでAmazonにアクセスして購入する必要がある。まずは、読みたい本を検索。電子書籍に対応していれば、「Kindle版」を選べる。

2 Kindleで電子書籍をダウンロードする

Kindle
作者／AMZN Mobile LLC
価格／無料

購入した本は、自動でKindleアプリのライブラリに追加される。ライブラリ画面から読みたい本をダウンロードしよう。ダウンロードしておけば、ネットがない環境でも読むことができる

Kindleアプリを起動したら、Amazonアカウントでログインする。画面下の「ライブラリ」をタップすると購入したKindle本が並ぶので表紙画像をタップ。ダウンロード後、すぐに読むことができる。

3 Kindleで電子書籍を読む

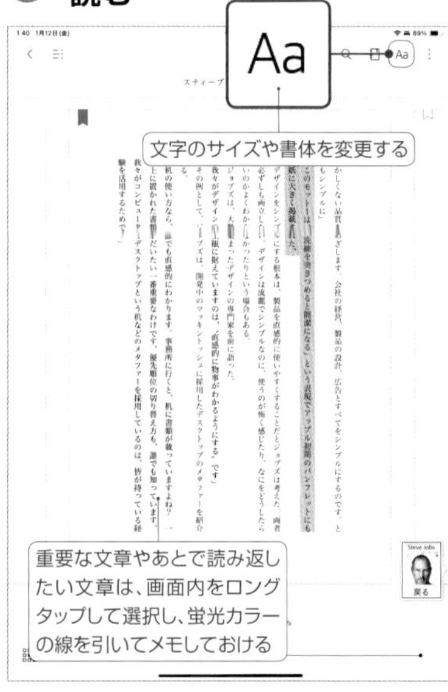
Aa
文字のサイズや書体を変更する
重要な文章やあとで読み返したい文章は、画面内をロングタップして選択し、蛍光カラーの線を引いてメモしておける

電子書籍を開いた画面。左右にスワイプするとページをめくることができる。また画面内を一度タップするとメニューが表示され、右上の「Aa」ボタンで文字のサイズや書体を変更できる。

こんなときは?

読み放題サービス Kindle Unlimitedと Prime Readingの違い

Kindleには、読み放題サービスが2種類ある。月額980円で200万冊以上が読み放題になるのが「Kindle Unlimited」(https://www.amazon.co.jp/kindle-dbs/hz/subscribe/kuにアクセスして登録する)。プライム会員なら追加料金なしで使えるのが「Prime Reading」だ。Prime Readingは、対象タイトルの入れ替えが頻繁に行われ、常時1,000冊以上が読み放題となる。

Kindle UnlimitedとPrime Readingの比較

	Kindle Unlimited	Prime Reading
月額料金(税込)	980円	プライム会員なら無料
読み放題冊数	200万冊以上	Kindle Unlimitedのタイトルから1,000冊以上
補足	毎月たくさん本を読む人にオススメ。プライム会員とは別料金	読み放題の冊数は少ないが、プライム会員は無料で使える

SECTION 3

もっと役立つ便利な操作

ここではiPadをもっと快適に使うために
覚えておきたい便利な操作や、
トラブルに見舞われた際の対処法を解説する。
iPadに話しかけて操作する「Siri」の使い方や、
仕組みがわかりにくい「iCloud」の設定法、
なくしてしまったiPadを探し出す方法なども紹介。

便利

082 iPadの中身をバックアップするためのサービス 仕組みがわかりにくいiCloudのおすすめ設定法

本体設定

Apple IDを取得すると(No013で解説)使えるサービスのひとつが「iCloud」だ。基本的には「iPadの各種データをバックアップしておけるインターネット上の保管スペース」と思えばよい。下で解説しているように、標準アプリのデータと、本体の設定などのデータ、インストール済みのその他アプリのデータのバックアップ設定をすべてオンにしておけば、iPadが故障したり紛失しても、右ページの手順でiPadのデータを元通りに復元できる。ただし、無料で使える容量は全部で5GBまでなので、空き容量が足りなくなったら、バックアップするデータを選択するか容量を追加購入する必要がある。

iCloudにバックアップする項目を選ぶ

1 標準アプリのデータをバックアップする

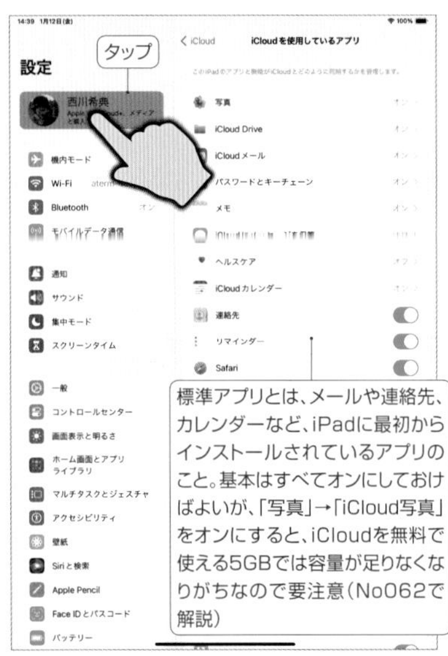
タップ
標準アプリとは、メールや連絡先、カレンダーなど、iPadに最初からインストールされているアプリのこと。基本はすべてオンにしておけばよいが、「写真」→「iCloud写真」をオンにすると、iCloudを無料で使える5GBでは容量が足りなくなりがちなので要注意(No062で解説)

「設定」の一番上のユーザー名(Apple ID)をタップし、「iCloud」→「すべてを表示」をタップ。「写真」「iCloudメール」「連絡先」などのスイッチをオンにしておくと、これら標準アプリのデータは常にiCloudに保存されるようになる。

2 iPadの設定などをバックアップする

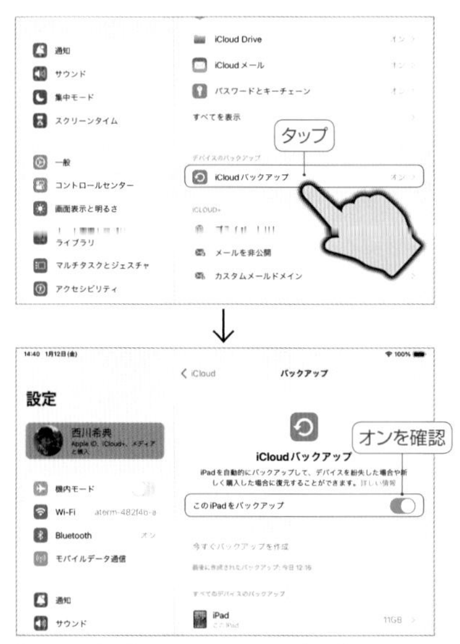
タップ
オンを確認

「iCloud」→「iCloudバックアップ」→「このiPadをバックアップ」がオンになっていることも確認しよう。本体の設定や、ホーム画面の構成、標準アプリ以外のアプリのデータなどをiCloudへ定期的にバックアップする。

3 標準アプリ以外のデータをバックアップ

バックアップに使うiCloudの空き容量が足りなくなったら、iPad内の写真や動画を保存する「写真ライブラリ」(「iCloud写真」がオンの時は表示されない)やサイズが大きすぎるアプリのスイッチをオフにして容量を節約するか、右ページで解説しているようにiCloudの容量を追加購入しよう。なお、不調なiPadを初期化したり機種変更する際は、iCloudの空き容量が足りなくても、一時的にすべてのアプリやデータ、設定を含めたiCloudバックアップを作成できる(No099で解説)

「iCloud」→「アカウントのストレージを管理」→「バックアップ」→「このiPad」をタップすると、標準以外のインストール済みアプリが一覧表示される。スイッチをオンにしたアプリのデータは、手順2の「iCloudバックアップ」でバックアップされる。

操作のヒント

iCloudに手動でバックアップを作成する方法

「iCloudバックアップ」は、iPadがロック中で電源とWi-Fiに接続されている時に、自動でバックアップされる。今すぐ手動でバックアップしたい時は、Apple IDの設定画面で「iCloud」→「iCloudバックアップ」をタップし、「今すぐバックアップを作成」をタップしよう。なお、5Gに対応するセルラーモデルのiPad(12.9インチiPad Pro 第5世代以降、11インチiPad Pro 第3世代以降、iPad Air第5世代、iPad第10世代、iPad mini第6世代)なら、Wi-Fiに接続されていない際にモバイルデータ通信でもバックアップを作成できるが、データ通信量の消費が大きいので、なるべくWi-Fi接続時に実行しよう。

タップすると手動でバックアップを作成できる
最後にバックアップされた日時はここで確認できる。しばらくバックアップが作成されていないなら、手動でバックアップしておこう

いざという時はiCloudバックアップから復元する

1 iCloudバックアップから復元する

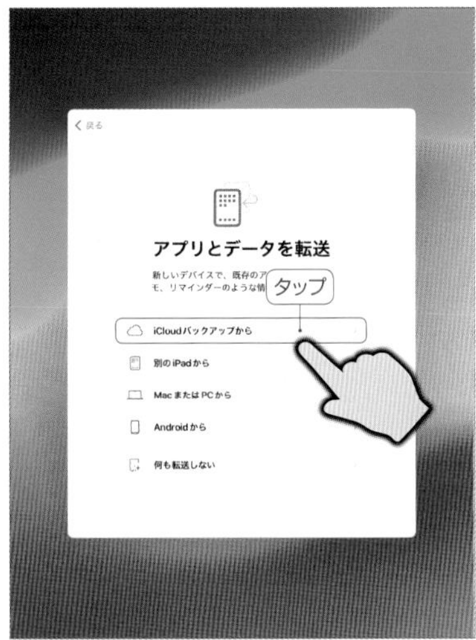

アプリとデータを転送
タップ

iPadを初期化したり機種変更した際は、iCloudバックアップがあれば、元の環境に戻せる。まず初期設定中に、「アプリとデータを転送」画面で「iCloudバックアップから」をタップしよう。

2 復元するバックアップを選択

iCloud バックアップを選択
復元するiCloudバックアップデータを選択

Apple IDでサインインを済ませると、iCloudバックアップの選択画面が表示される。最新のバックアップを選んでタップし、復元作業を進めていこう。

3 バックアップから復元中の画面

iCloudバックアップから復元すると、バックアップ時点のアプリが再インストールされ、ホーム画面のフォルダ構成なども元通りになる。アプリによっては、再ログインが必要な場合もある。

iCloudの容量を月額課金で追加購入する

1 iCloudの空き容量を確認する

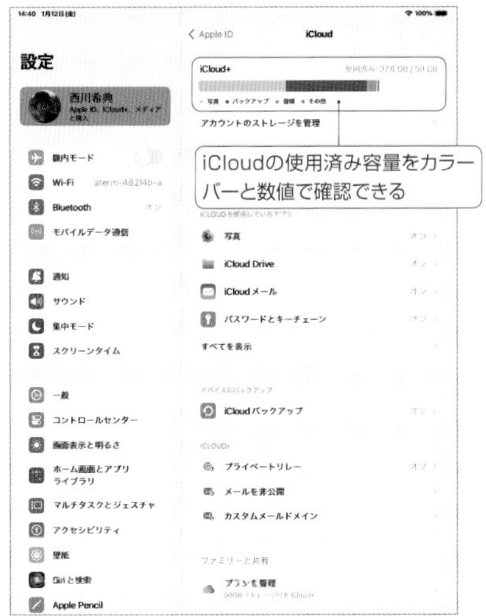

設定
iCloudの使用済み容量をカラーバーと数値で確認できる

設定で一番上のユーザー名をタップし、「ICloud」をタップすると、上部のカラーバーでiCloudの使用済み容量を確認できる。無料の場合は使用容量が5GBを超えるとバックアップを作成できなくなる。

2 ストレージプランを変更をタップする

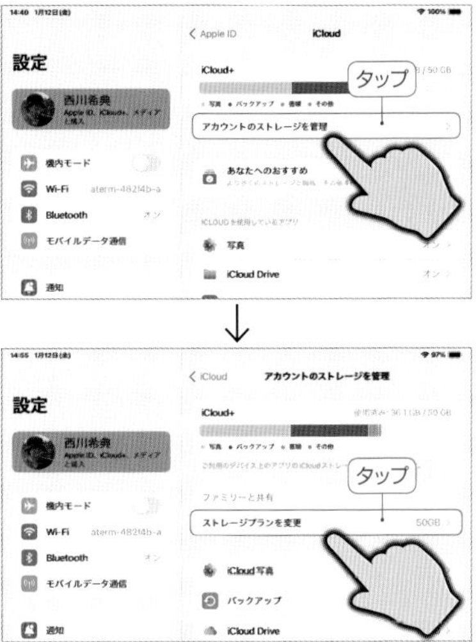

設定
タップ
アカウントのストレージを管理
タップ
ストレージプランを変更

どうしてもiCloudの容量が足りない時は、容量を追加購入したほうが早い。まず、iCloudの容量の下にある「アカウントのストレージを管理」をタップし、続けて「ストレージプランを変更」をタップ。

3 必要な容量にアップグレードする

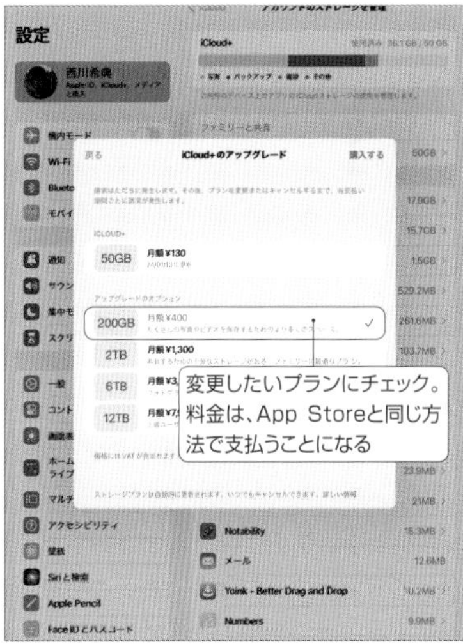

設定
変更したいプランにチェック。料金は、App Storeと同じ方法で支払うことになる

有料プランを選んでアップグレードしよう。一番安い月額130円のプランでも50GBまで使えるので、iCloudの空き容量に悩むことはほとんどなくなる。200GB、2TB、6TB、12TBのプランも選べる。

操作のヒント

標準アプリのデータは同期されている

iCloudで、連絡先やカレンダーなど標準アプリのスイッチをオンにしていると、iPadで連絡先を作成したりカレンダーの予定を変更するたびに、リアルタイムでiCloudにも変更内容がバックアップされるようになる。このような状態を「同期」と言う。iCloud上には、iPadの標準アプリのデータが常に最新の状態で保存されているのだ。データがすべてiCloud上にあるので、同じApple IDでサインインしたiPhoneやMacなどからも、同じ連絡先やカレンダーの予定を確認したり変更できる。ただし、iPhoneやMacで連絡先や予定を削除すると、iCloudやiPadからもデータが削除される点に注意しよう。

便利

083 賢い音声アシスタント「Siri」を使いこなそう iPadに話しかけてさまざまな操作を行う

本体操作

iPadには、話しかけるだけでさまざまな操作を行ってくれる、音声アシスタント機能「Siri」が搭載されている。たとえば「明日の天気は?」と質問すれば天気予報を教えてくれるし、「青山さんにメールして」と話しかければ連絡先の情報に従ってメールの作成と送信を行える。このように、ユーザーの代わりに情報を検索したりアプリを操作するだけでなく、日本語を英語に翻訳したり、現在の為替レートで通貨を変換するといった便利な使い方も可能だ。さらに、早口言葉やものまねも頼めばやってくれるなど、本当に人と話しているような自然な会話も楽しめるので、色々話しかけてみよう。

Siriの起動と基本的な使い方

1 設定でSiriを有効にする

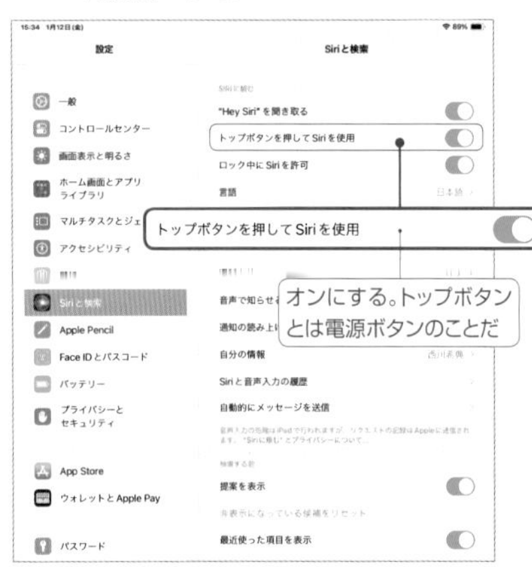
トップボタンを押してSiriを使用
オンにする。トップボタンとは電源ボタンのことだ

「設定」→「Siriと検索」で、「トップボタン(ホームボタン)を押してSiriを使用」をオンにすれば、Siriが有効になる。必要なら「ロック中にSiriを許可」もオン。

2 Siriを起動する操作方法

●ホームボタンのないiPad

トップボタン(電源ボタン)を長押し。画面を下から上にスワイプするとSiriの画面が閉じる

●ホームボタンのあるiPad

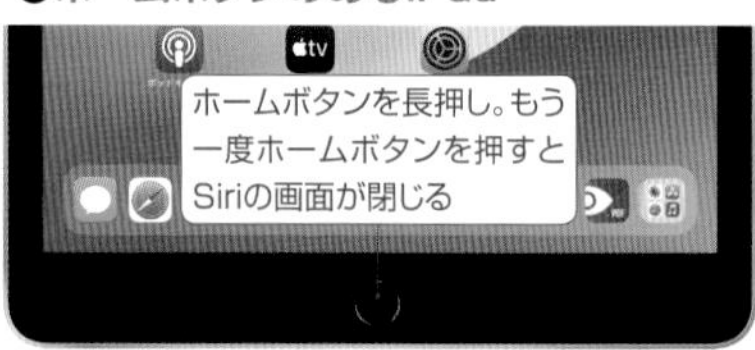
ホームボタンを長押し。もう一度ホームボタンを押すとSiriの画面が閉じる

Siriを起動するには、ホームボタンのないiPadでは本体上部のトップボタン(電源ボタン)を長押しすればよい。ホームボタンのあるiPadでは本体下部にあるホームボタンを長押しする。

3 「ヘイシリ」と呼びかけてSiriを起動させる

"Hey Siri" を聞き取る
オンにして、画面の指示に従って自分の声を登録する

「設定」→「Siriと検索」で「"Hey Siri"を聞き取る」をオンにし、指示に従って自分の声を登録しておけば、iPadに「ヘイシリ」と呼びかけるだけでSiriを起動できるようになる。

4 Siriを起動して用件を伝える

このマークが表示されたら話しかける

トップ(電源)ボタンもしくはホームボタンを長押しするか、「ヘイシリ」と呼びかけてSiriを起動。画面下部に丸いマークが表示されたら、Siriに頼みたいことを話しかけよう。

5 Siriがさまざまな操作を実行してくれる

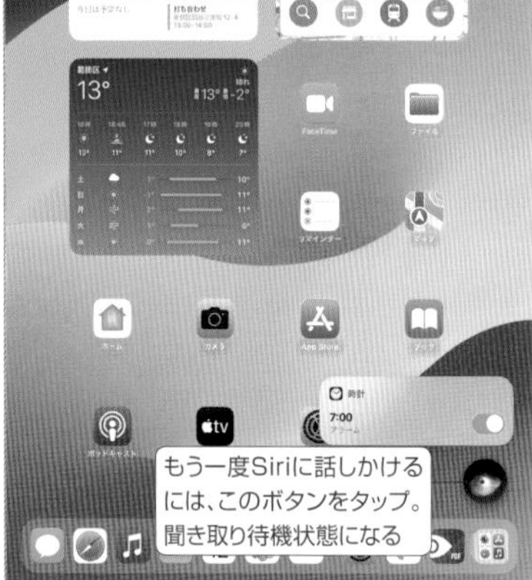
もう一度Siriに話しかけるには、このボタンをタップ。聞き取り待機状態になる

「明日7時に起こして」で7時にアラームをセットしてくれたり、「今日の天気は?」で天気と気温を教えてくれる。続けて質問するには、画面下部にあるボタンをタップしよう。

6 Siriとのやり取りを文字で表示する

オンにしておく

「設定」→「Siriと検索」→「Siriの応答」で「Siriキャプションを常に表示」と「話した内容を常に表示」をオンにすれば、Siriとのやり取りが文字でも表示されるようになる。

便利

084

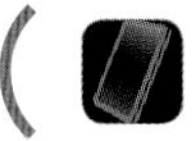
本体操作

Siriの具体的な活用例
Siriの多彩な使い方を知っておこう

音声アシスタント機能のSiri(No083で解説)は、音声で頼むだけでさまざまな操作を実行してくれる便利な機能だが、どのように頼めば何をしてくれるのかを知っていないと、なかなか活用しづらい機能でもある。ここでは具体的なSiriの活用例をいくつか紹介するので、まずはWebサイトの検索や音楽の再生などの基本的な使い方に慣れて、もっと他の使い方ができないかSiriに色々話しかけてみるといい。たとえば「この曲は何?」と話しかけて音楽を聴かせれば曲名を答えてくれるし、アラームをいくつもセットしている人は「アラームを全て削除」と話かけてまとめて削除できるなど、便利で意外な使い方を発見できるはずだ。

Webサイトを検索する

「○○で検索」と話しかけるとWebサイトの検索結果が表示される。「Googleの検索結果を表示」をタップするとSafariで検索結果が開く。

音楽をかけて

「音楽をかけて」と話しかけるとミュージックアプリで再生が開始される。「○○の曲をかけて」でアーティストや曲の指定も可能だ。

道順を調べてもらう

「○○への経路を教えて」や「○○から○○までの経路は?」と話しかければ、マップアプリで最適な経路を表示してくれる。

日本語を英語に翻訳

近くに病院はありますか
Is there a hospital nearby?

「(翻訳したい言葉)を英語にして」と話しかけると、日本語を英語に翻訳し、音声で読み上げてくれる。

便利

085

本体操作

画面最下部をスワイプしてみよう
直前に使ったアプリを素早く表示する

画面の最下部を右にスワイプすると、すぐに直前に使っていたアプリの画面に切り替えることができる。さらに画面最下部を右にスワイプすると、その前に使っていたアプリが表示され、左にスワイプすれば、元のアプリに戻すことが可能だ。この方法を使えば、2つのアプリを何度も切り替えて作業するときに断然効率的になる。

直前に使っていたアプリを再び使いたいときは、画面の最下部を右にスワイプしてみよう。ホームボタンのあるiPadの場合は、少し弧を描くようにスワイプする必要がある

直前に使っていたアプリの画面に素早く切り替わる。さらに右にスワイプするとその前のアプリに切り替わり、左にスワイプすると元のアプリの画面に戻る

便利

086

本体操作

動画を小さな画面で再生できる
動画を見ながら他のアプリを利用する

iPadには、動画を小さく再生させながら別のアプリで作業できる、「ピクチャインピクチャ」機能が搭載されている。設定で機能が有効になっており、アプリ側も対応していれば利用可能だ。FaceTimeやApple TV、ミュージック、Safariなど標準アプリのほかに、YouTube(Premiumのみ)、Amazonプライムビデオ、Netflix、Hulu、DAZNアプリなどで利用できる。

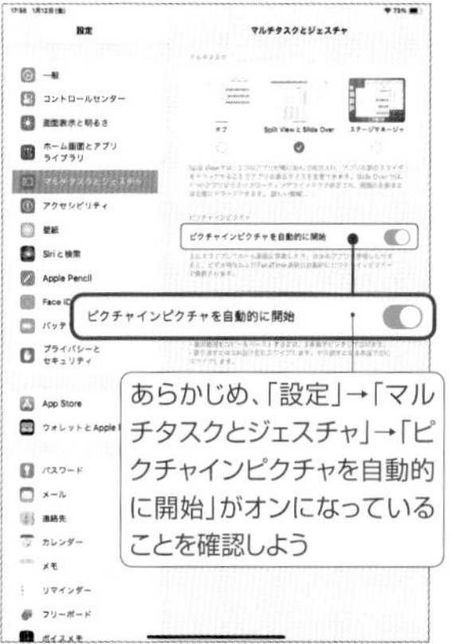
マルチタスクとジェスチャ
ピクチャインピクチャを自動的に開始

あらかじめ、「設定」→「マルチタスクとジェスチャ」→「ピクチャインピクチャを自動的に開始」がオンになっていることを確認しよう

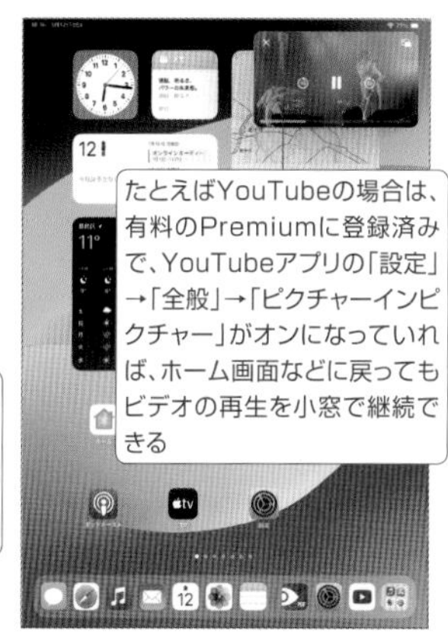

たとえばYouTubeの場合は、有料のPremiumに登録済みで、YouTubeアプリの「設定」→「全般」→「ピクチャーインピクチャー」がオンになっていれば、ホーム画面などに戻ってもビデオの再生を小窓で継続できる

便利

087

本体設定

メールアドレスや住所を予測変換に表示させる

文字入力を効率化する ユーザ辞書機能を利用する

iPadには「ユーザ辞書」という機能が搭載されている。これは、文字入力時の予測変換に表示される単語を自分で辞書登録できる機能だ。変換しにくい単語やよく使用する固有名詞を登録するほかに、長い文章も登録できるので、メールアドレスや住所、メールの挨拶文なども登録しておくといい。「単語」欄に変換したい文章を、「よみ」欄には入力しやすい簡単なよみがなを登録しよう。たとえば、単語にメールアドレスを入力し、よみに「めーる」を辞書登録しておけば、「めーる」と入力するだけでメールアドレスに変換できる。「よろ」と入力するだけで「よろしくお願いいたします」に変換させるなど、挨拶文を登録しておくのもおすすめだ。

1 ユーザ辞書の登録画面を開く

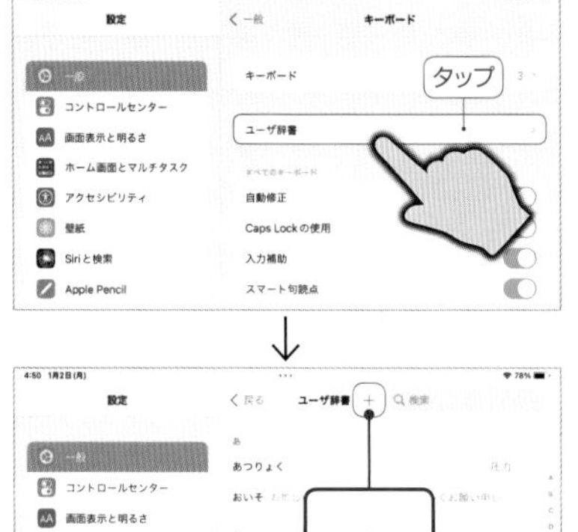
タップ
タップ

「設定」→「一般」→「キーボード」→「ユーザ辞書」で「＋」ボタンをタップする。この画面で登録済みの辞書の編集や削除も行える。

2 単語とよみをユーザ辞書に登録

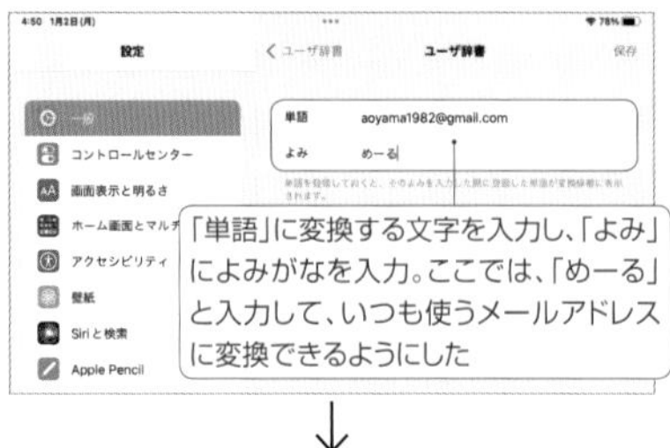
「単語」に変換する文字を入力し、「よみ」によみがなを入力。ここでは、「めーる」と入力して、いつも使うメールアドレスに変換できるようにした

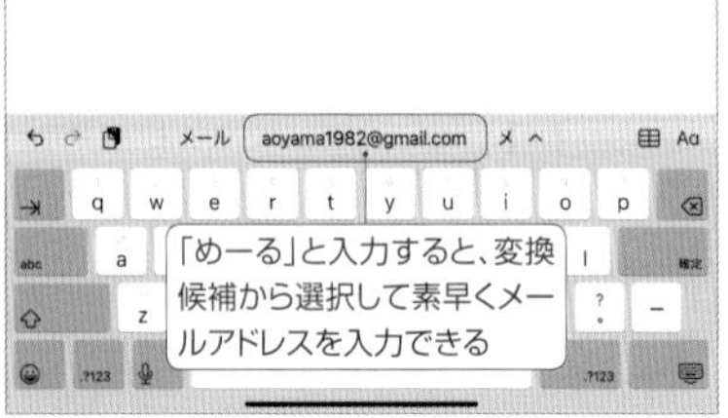
「めーる」と入力すると、変換候補から選択して素早くメールアドレスを入力できる

「単語」と「よみ」を入力して「保存」をタップしよう。「よみ」を入力するだけで「単語」の文章を変換候補から選べる。

便利

088

時計

時計アプリでアラームを設定しよう

iPadを目覚ましとして利用する

iPadには、アラーム機能などを備えた時計アプリが最初から用意されている。時計アプリを起動したら、下部メニューで「アラーム」画面を開き、右上の「＋」をタップしてアラームを鳴らす時刻やサウンドなどを設定しよう。アラームは複数セットできるので、起きる時刻や出かける時刻で別々に設定したい場合にも対応可能だ。

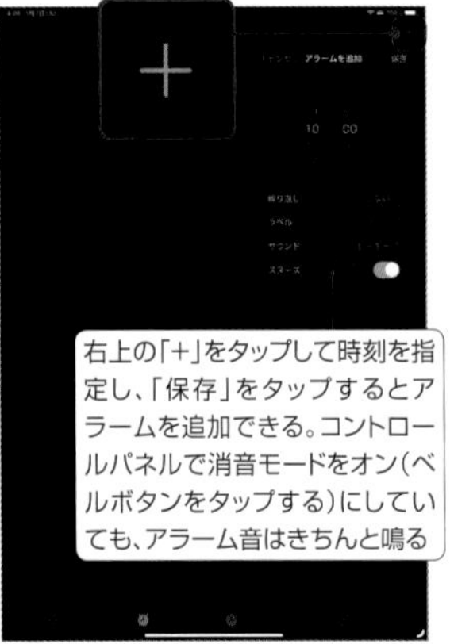
右上の「＋」をタップして時刻を指定し、「保存」をタップするとアラームを追加できる。コントロールパネルで消音モードをオン（ベルボタンをタップする）にしていても、アラーム音はきちんと鳴る

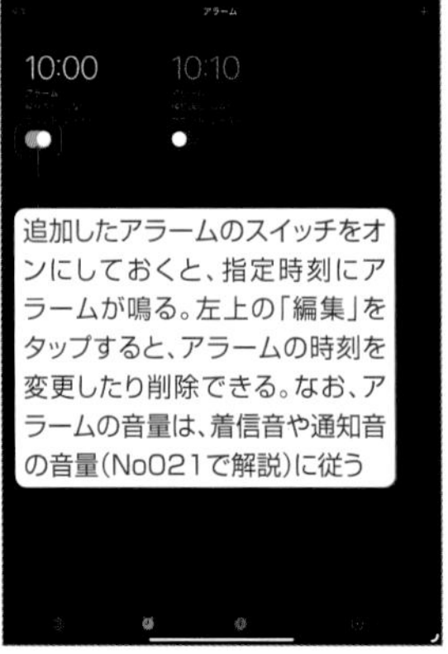
10:00
10:10
追加したアラームのスイッチをオンにしておくと、指定時刻にアラームが鳴る。左上の「編集」をタップすると、アラームの時刻を変更したり削除できる。なお、アラームの音量は、着信音や通知音の音量（No021で解説）に従う

便利

089

本体設定

「アプリの使用中は許可」を選択

位置情報の許可を聞かれたときは？

位置情報を使うアプリを初めて起動すると、「位置情報の使用を許可しますか？」と確認される。これは基本的に「アプリの使用中は許可」を選んでおけばよい。位置情報の許可はあとからでも「設定」→「プライバシーとセキュリティ」→「位置情報サービス」でアプリを選べば変更できる。常に位置情報の取得が必要な機能を利用するなら「常に」を選択しよう。

アプリの使用中は許可
位置情報を使うアプリを初めて起動すると、位置情報の許可を求められる。「アプリの使用中は許可」をタップしておこう
あとからでも「設定」→「プライバシーとセキュリティ」→「位置情報サービス」でアプリを選んで変更できる。Googleマップのタイムライン機能など、常に位置情報の取得が必要な機能を利用するなら「常に」にチェックしよう

便利

090 作業を効率化できるマルチタスク機能 複数のアプリやを同時に開いて利用する

本体操作

iPadには複数のアプリや画面を同時に開いて作業を効率化できるマルチタスク機能が備わっている。資料を見ながら別のアプリで書類を作成したり、カレンダーを確認しながらメールを送信するといったことが行える。このマルチタスク機能には3つの種類がある。まず、2つのアプリを同時に開くことができる「Split View(スプリットビュー)」と「Slide Over(スライドオーバー)」。それぞれの違いは下記で解説している。そして、アプリを最大4つまで同時に開くことができる「ステージマネージャ」だ。ステージマネージャは利用できる機種が限られているので、自分のiPadで使えるかどうかは下記で確認しよう。

3種類のマルチタスク機能

Split View(スプリットビュー)

左にSafari、右にメモを開いている状態。詳しい操作方法はNo091で解説している

画面を左右に分割して2つのアプリを同時に開けるSplit View。資料やカレンダー、メールなどを見ながら書類を作成する際などに役立つ。対応しているアプリなら2画面で同じアプリを表示することもできる。

Slide Over(スライドオーバー)

これはマップの上にSafariを表示している状態。詳しくはNo092で解説している

Split Viewとは異なり、アプリ上に小型のウインドウで別のアプリを表示させる機能。小型のウインドウは、左右に動かしたり画面から出し入れすることもできる。

ステージマネージャ

Safari、メモ、写真、カレンダーを表示している画面。タップした画面が最前面に表示される。詳しくはNo093で解説している

最大4つのアプリを同時に利用できる機能。それぞれのウインドウを自由に動かしたりサイズを変更したりと、まるでパソコンのように画面を利用できる。ステージマネージャは対応しているiPadが限られる。対応機種は下記で確認しよう。

操作のヒント

ステージマネージャ対応iPad

iPad Pro 12.9インチ(第3世代以降)
iPad Pro 11インチ(全世代)
iPad Air(第5世代)

マルチタスク機能の切り替え方法

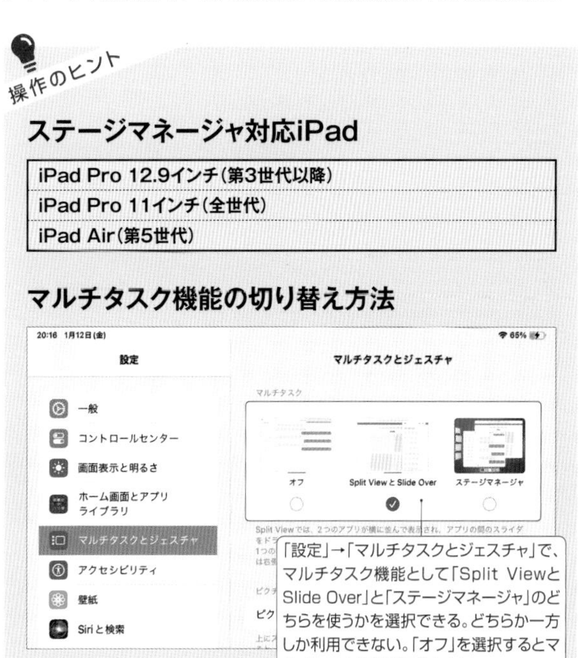
設定
マルチタスクとジェスチャ
一般
コントロールセンター
画面表示と明るさ
ホーム画面とアプリライブラリ
マルチタスクとジェスチャ
アクセシビリティ
壁紙
Siriと検索
オフ
Split View と Slide Over
ステージマネージャ
「設定」→「マルチタスクとジェスチャ」で、マルチタスク機能として「Split ViewとSlide Over」と「ステージマネージャ」のどちらを使うかを選択できる。どちらか一方しか利用できない。「オフ」を選択するとマルチタスク機能が無効になる

便利

091

本体操作

アプリ間でデータのやり取りもできる

Split Viewで画面を2分割して2つのアプリを利用する

No090ではiPadで利用できるマルチタスク機能を紹介したが、ここではその中の「Split View」の操作法を解説する。Split ViewはiPadの画面を2分割して、2つのアプリを同時に利用できる機能だ。上下に2分割はできず必ず左右に2分割となるため、Split Viewを使うならiPadを横向きにして利用した方が快適だ。対応しているアプリなら、左右で同じアプリを2画面表示することも可能だ。左右の画面で相互にデータのやり取りもできるので、写真アプリから写真をドラッグしてメモアプリに貼り付けたり、メモアプリを2つ開いて文章を編集するといった使い方も試してほしい。

Split Viewの開始方法

1 ひとつ目のアプリを起動して画面上部の「…」をタップする

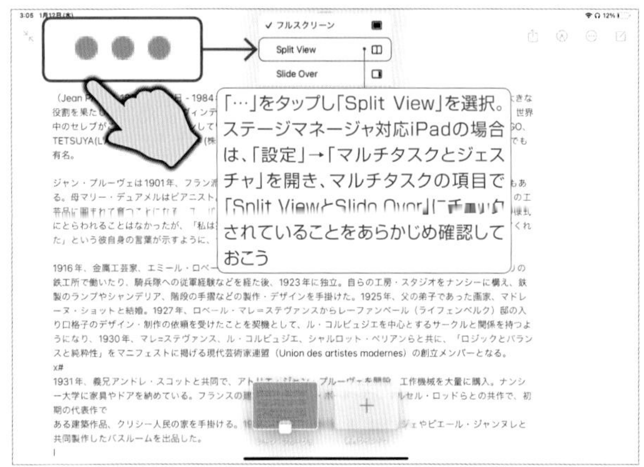
フルスクリーン
Split View
Slide Over
「…」をタップし「Split View」を選択。ステージマネージャ対応iPadの場合は、「設定」→「マルチタスクとジェスチャ」を開き、マルチタスクの項目で「Split ViewとSlide Over」にチェックがされていることをあらかじめ確認しておこう

ひとつ目のアプリを起動し、画面上部の中央にある「…」をタップする。表示されるメニューで「Split View」をタップしよう。

2 2つ目のアプリをホーム画面でタップする

Split View
ホーム画面から2つ目のアプリを選択。ページを切り替えて選ぶこともできる

ひとつ目のアプリがいったん画面の端に移動してホーム画面が表示される。ここから2つ目のアプリを選んでタップしよう。Safariやメモなど対応しているアプリなら、ひとつ目と同じアプリを選んでもよい。

3 画面が2分割されて2つのアプリを同時に利用できる

アルバム
最近の項目
写真アプリからメモアプリに写真をドラッグして貼り付けるといったこともできる

画面が左右に2分割された。2つのアプリを同時に見たり使ったりすることはもちろん、2つの画面で相互にデータをやり取りすることもできる。また、仕切り線の中央部分を左右にドラッグして、画面の比率を変更することも可能だ。

4 Split Viewを終了させる

フルスクリーン
Split View
Slide Over
「…」をタップして表示されるメニューで「閉じる」をタップ

Split Viewを終了させたい場合は、閉じたい画面上部の「…」をタップし、表示されるメニューで「閉じる」をタップすればよい。

便利

092

本体操作

小型ウインドウは画面への出し入れもできる
Slide Overでアプリの上に小型ウインドウを表示させる

ここでは、No090で紹介したマルチタスク機能の中から「Slide Over」の操作法を解説する。Slide Overは、アプリの画面の上に小型のウインドウで別のアプリを表示できる機能だ。Split Viewとは異なり、どんなシーンで役立つかわかりづらいかもしれないが、Slide Overにはひとつ使い勝手のよい便利な特徴がある。小型のウインドウをサッとスワイプするだけで、必要に応じて画面の外に出したり画面上に戻したりできるのだ。広い画面で作業しつつ、時々確認したいアプリを必要なときだけ表示するといった使い方が可能だ。Split Viewと同じく、画面間でデータのやり取りも行える。

Slide Overの開始方法

1 ひとつ目のアプリを起動して画面上部の「…」をタップする

「…」をタップし「Slide Over」を選択。ステージマネージャ対応iPadの場合は、「設定」→「マルチタスクとジェスチャ」を開き、マルチタスクの項目で「Split ViewとSlide Over」にチェックされていることをあらかじめ確認しておこう

ひとつ目のアプリを起動し、画面上部の中央にある「…」をタップする。表示されるメニューで「Slide Over」をタップしよう。

2 2つ目のアプリをホーム画面でタップする

ホーム画面から2つ目のアプリを選択。ページを切り替えて選ぶこともできる

ひとつ目のアプリがいったん画面の端に移動してホーム画面が表示される。ここから2つ目のアプリを選んでタップしよう。Safariやメモなど対応しているアプリなら、ひとつ目と同じアプリを選んでもよい。

3 ひとつ目のアプリが小型ウインドウになる

小型ウインドウ画面上部の「…」部分を画面の左右端へフリックすれば、いったん画面外へ隠すことができる。画面端から内側へフリックすれば再び表示できる

すると、ひとつ目のアプリが小型ウインドウになり、2つ目に選んだアプリが全画面の表示となる。Split Viewと同じく、画面間で写真や文章を相互にやり取りすることもできる。

4 Slide Overを終了させる

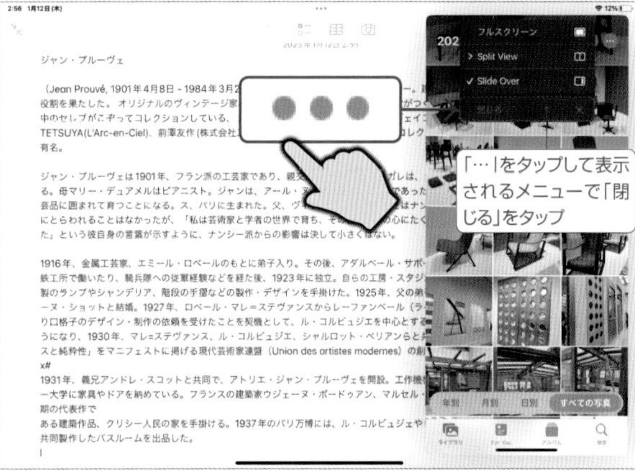
「…」をタップして表示されるメニューで「閉じる」をタップ

小型ウインドウの「…」をタップして「閉じる」を選択すると、小型ウインドウが閉じる。全画面のアプリの「…」をタップして「閉じる」を選択すると、全画面と小型ウインドウの両方が閉じる。

便利

093 パソコンのように画面を操作できる ステージマネージャで4つのアプリを同時に利用する

（本体操作）

ここでは、No090で紹介したマルチタスク機能の中から「ステージマネージャ」の操作法を解説する。ステージマネージャは利用できる機種が限られているので注意しよう（対応機種はNo090参照）。ステージマネージャでは、最大4つのアプリを同時に開いて利用できる。それぞれのウインドウの大きさも調整でき、まるでパソコンのような画面でアプリを切り替えながらさまざまな作業を行える。Split ViewやSlide Overと同じく、ウインドウ間で写真や文章をドラッグして貼り付けることもできるし、対応していれば同じアプリを複数のウインドウで開くこともできる。

ステージマネージャの開始方法と各種操作方法

1 ステージマネージャのスイッチをオンにする

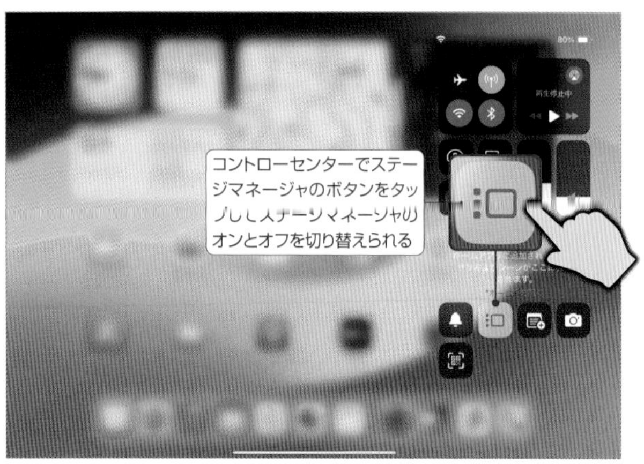
コントローセンターでステージマネージャのボタンをタップしてステージマネージャのオンとオフを切り替えられる

まずは「設定」→「マルチタスクとジェスチャ」→「ステージマネージャ」にチェックしておこう。コントロールセンター（No005で解説）を使えば素早くステージマネージャのオン／オフを切り替えられる。

2 ひとつ目のアプリを起動して画面上部の「…」をタップする

フルスクリーンにする
別のウインドウを追加
最小化
「…」をタップし「別のウインドウを追加」を選択

まず、ひとつ目のアプリを起動し、画面上部の中央にある「…」をタップする。表示されるメニューで「別のウインドウを追加」をタップしよう。

3 同時に開きたいアプリを選択する

2つ目のアプリをタップして選択する

ひとつ目のアプリがいったん画面の端に移動して、最近使ったアプリのウインドウ一覧が表示される。ここから同時に開きたいアプリを選択する。ここにないアプリを開きたい場合は、次の手順4の操作法で選択しよう。

4 最近使ったアプリ一覧に目的のアプリがない場合は

ホーム画面からも2つ目のアプリを選択できる

最近使ったアプリのウインドウ一覧に目的のアプリが見当たらない場合は、ウインドウ一覧の隙間の何もないエリアをタップしてホーム画面を表示し、そこからアプリを選択すればよい。

4つのアプリがグループ化され
パソコンのような画面で操作できる。ホーム画面に戻って別のアプリを開き、別途グループを作成すれば、複数のグループを切り替えながら利用することもできる。ステージマネージャは少し複雑な仕組みでわかりづらいかもしれないが、ぜひ使いながら操作をマスターしよう

5 ステージマネージャで マルチタスクが開始される

ひとつ目に起動したアプリと2つ目に選択したアプリのウインドウが画面上に表示され、同時に利用できるようになった。どちらかのウインドウの「…」をタップし、メニューで「別のウインドウを追加」をタップすればさらにアプリを追加し、最大4つまで同時に開くことが可能だ。Safariやメモなど対応しているアプリなら、すでに開いているアプリと同じアプリをウインドウ追加時に選ぶこともできる。

6 ウインドウの位置や 重ね順を変更する

画面の上部をドラッグして
移動させることができる

それぞれのウインドウは、画面上部をドラッグすることで自由に移動させることができる。また、背後にあるウインドウを使いたい場合はタップして最前面に持ってくることができる。

7 ウインドウの大きさも 調整できる

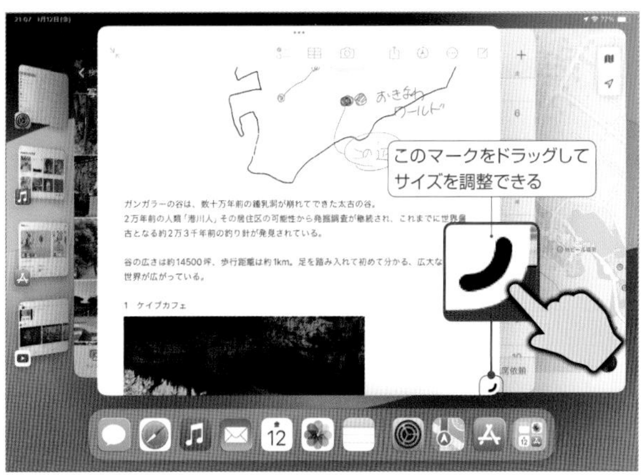
このマークをドラッグして
サイズを調整できる

それぞれのウインドウの大きさも調整可能だ。各ウインドウの右下角や左下角にある黒い曲線のマークをドラッグしてサイズを変更できる。

8 不要なウインドウを 閉じる

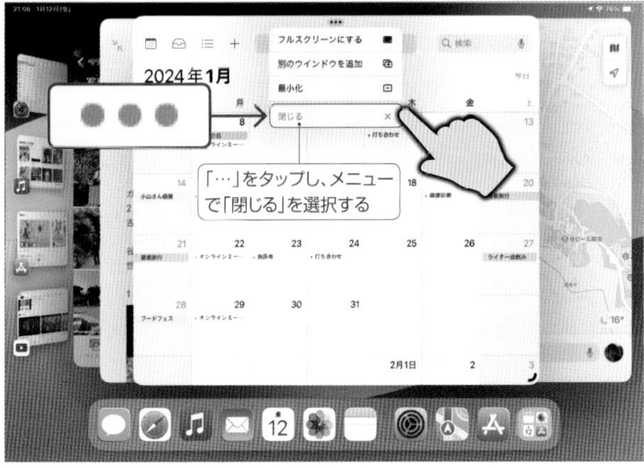
フルスクリーンにする
別のウインドウを追加
最小化
閉じる
「…」をタップし、メニュー
で「閉じる」を選択する

閉じたいウインドウ上部の「…」をタップし、表示されたメニューで「閉じる」を選ぶと、そのウインドウが閉じる。

9 画面左端に表示される 「最近使ったアプリ」を利用する

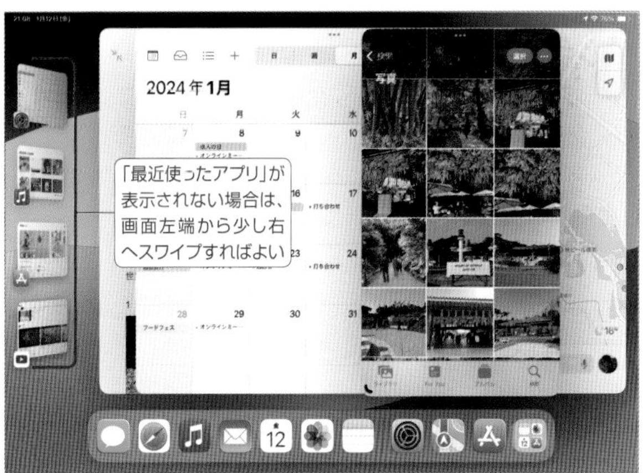
「最近使ったアプリ」が
表示されない場合は、
画面左端から少し右
へスワイプすればよい

ステージマネージャの画面左端には「最近使ったアプリ」が表示される。タップしてアプリやグループを切り替えることができる。すべての「最近使ったアプリ」を表示するには、画面下部から上へスワイプして、画面中央あたりで指を離そう。

便利

094

本体操作

見た目や機能を自分好みにカスタマイズしよう

壁紙を変更しロック画面を使いやすく編集する

ロック画面やホーム画面の壁紙（背景のイメージ）は、好みのものに変更可能だ。iPadにはじめから用意されている壁紙はもちろん、自分で撮影した写真も表示できる。またロック画面にはウィジェット（No029とNo030で解説）を配置でき、ロックを解除せずに天気予報やニュース、株価などの情報をリアルタイムで確認したり、ロック画面からワンタップでアプリの特定機能を起動できる。時計の書体や色も変更できるので、自分で見やすいようにカスタマイズしよう。なお、ロック画面とホーム画面の壁紙はワンセットとして保存され、気分に応じて複数のセットを切り替えて利用できる。

新しい壁紙を追加する

1 新しい壁紙を追加する

設定
壁紙
+新しい壁紙を追加
タップ

ロック画面とホーム画面の壁紙やウィジェットは、ワンセットで追加して管理するようになっている。新しい壁紙を追加するには、「設定」→「壁紙」で「＋新しい壁紙を追加」をタップしよう。

2 画像や写真の一覧から壁紙を選択

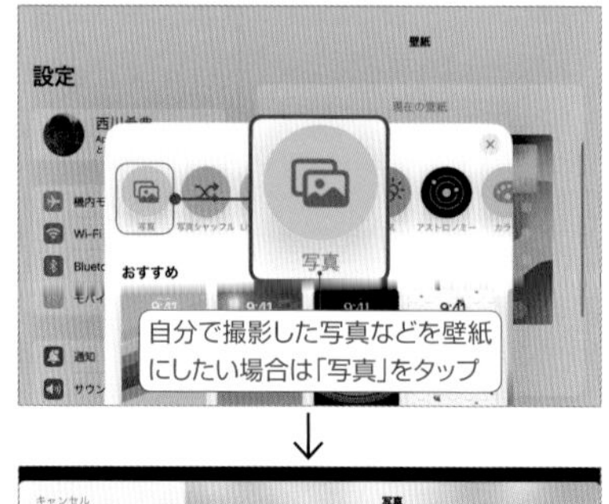
写真
自分で撮影した写真などを壁紙にしたい場合は「写真」をタップ

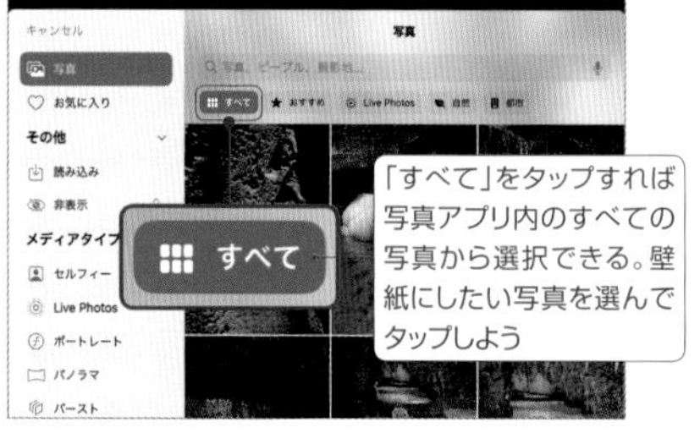
すべて
「すべて」をタップすれば写真アプリ内のすべての写真から選択できる。壁紙にしたい写真を選んでタップしよう

ジャンル分けされた各種画像から好みのものを選択しよう。自分で撮影した写真やダウンロードした写真（著作権に注意）を壁紙に設定したい場合は、壁紙選択画面左上の「写真」をタップする。

3 選択した画像を壁紙として設定する

1月13日 土曜日
15:28
追加
タップ

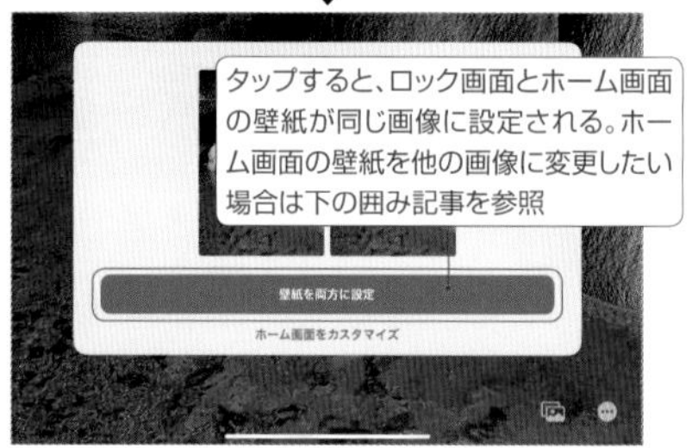
タップすると、ロック画面とホーム画面の壁紙が同じ画像に設定される。ホーム画面の壁紙を他の画像に変更したい場合は下の囲み記事を参照

選択した画像や写真がロック画面の壁紙に設定された状態がプレビュー表示されるので、「追加」をタップ。続けて「壁紙を両方に設定」をタップすれば、ロック画面とホーム画面の壁紙が変更される。

操作のヒント

ホーム画面の壁紙をロック画面とは異なるものにする

新しい壁紙を追加する際に、「壁紙を両方に設定」ではなく「ホーム画面をカスタマイズ」をタップすると、ホーム画面の壁紙をロック画面とは異なるものに設定することが可能だ。下部メニューの「カラー」や「グラデーション」をタップすると好きな色で塗りつぶせる。「写真」をタップすると写真アプリから他の写真を選択できる。「ぼかし」は写真にぼかしを加える。

15:28
タップ

カラーやグラデーション、写真、ぼかしをタップして他の壁紙に変更しよう。「ペアリング」を選択するとロック画面と同じ壁紙に戻る

壁紙セットの切り替えとウィジェットの配置

1 壁紙のセットを切り替える

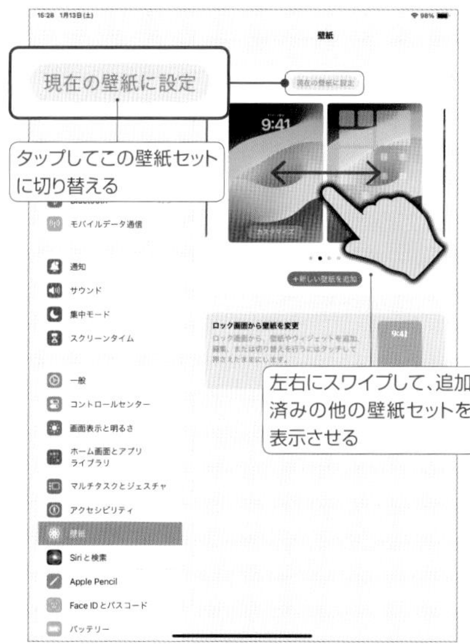

現在の壁紙に設定
タップしてこの壁紙セットに切り替える
左右にスワイプして、追加済みの他の壁紙セットを表示させる

ロック画面とホーム画面の壁紙はワンセットで追加され、複数のセットを保存しておける。「設定」→「壁紙」で壁紙を左右にスワイプし、上部の「現在の壁紙に設定」をタップすると切り替えできる。

2 ロック画面の壁紙をカスタマイズする

カスタマイズ
タップ

ロック画面の壁紙には、各種ウィジェットを配置することもできる。まず「設定」→「壁紙」で変更したい壁紙セットを表示させ、左側のロック画面の壁紙にある「カスタマイズ」ボタンをタップ。

3 ロック画面にウィジェットを配置

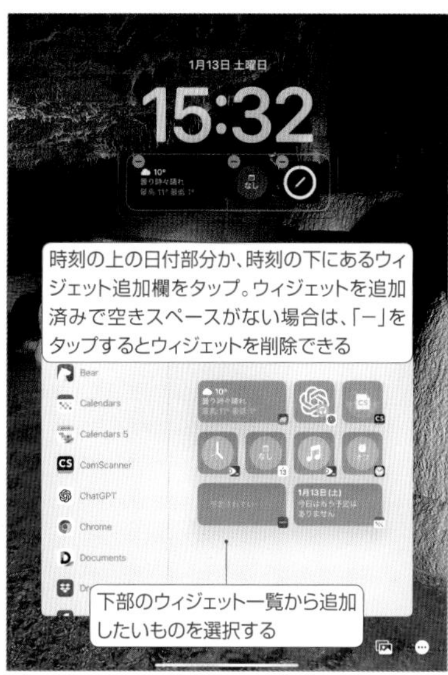

15:32
時刻の上の日付部分か、時刻の下にあるウィジェット追加欄をタップ。ウィジェットを追加済みで空きスペースがない場合は、「－」をタップするとウィジェットを削除できる
下部のウィジェット一覧から追加したいものを選択する

縦向きでは、時刻の上にひとつ、時刻の下に最大4つまでウィジェットを配置できる。この欄をタップすると下部に追加可能なウィジェットが一覧表示されるので、サイズや機能を選択して追加しよう。

4 横向きにすると別のウィジェットを配置できる

1月13日 土曜日
左端のウィジェット欄は縦向きに比べると配置スペースに余裕があり、スクリーンタイムを表示したり、降水確率や風予報も含めた詳細な天気予報を表示できる。カレンダーは今後の予定だけでなく月カレンダーも配置可能だ

ロック画面のカスタマイズ画面でiPadを横向きにすると、縦向きとは別のウィジェットを配置することが可能だ。時刻の上の日付部分に加えて、左端がすべてウィジェット欄になる。縦画面に比べてウィジェットの配置スペースに余裕があるので、対応するアプリと配置可能なウィジェットサイズの種類も増える。

5 時計の表示スタイルを変更する

15:40
時刻部分をタップすると表示されるメニューで、時刻の書体と太さ、色を変更したら、右上の「完了」をタップする

時刻部分をタップすると、時刻の書体と太さ、色を好きなものに変更できる。時計の色はウィジェットにも反映されるので、壁紙によってウィジェットの文字を読みにくいときは変更するとよい。

操作のヒント

壁紙の削除はロック画面で行う

ロック画面をロングタップすると壁紙の編集モードになるので、左右にスワイプして削除したい壁紙を表示しよう。続けて壁紙を上にスワイプし、表示されたゴミ箱ボタンをタップすると壁紙を削除できる。ロック画面とホーム画面の壁紙はワンセットなので、ホーム画面に設定していた壁紙も消えるし、ロック画面のウィジェットの設定も含めて削除される。

タップ
カスタマイズ

便利

095 サブスクの加入状況を確認する

設定で確認とキャンセルが可能

本体設定

月単位などで定額料金が必要な「サブスクリプション」契約のアプリやサービスは、必要な時だけ利用できる点が便利だが、うっかり解約を忘れると、使っていない時にも料金が発生するし、中には無料を装って月額課金に誘導する悪質なアプリもある。いつの間にか不要なサービスに課金し続けていないか、確認方法を知っておこう。

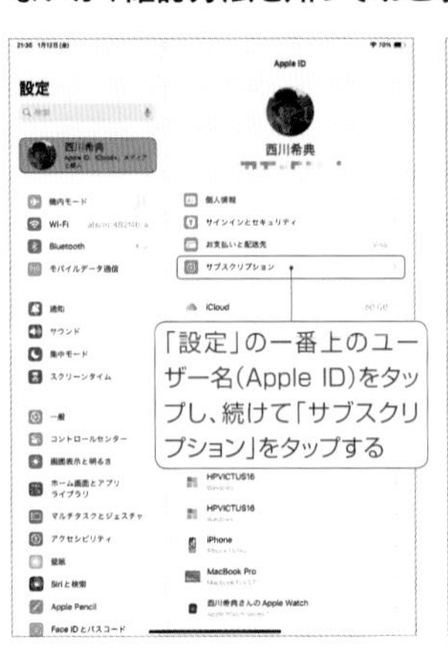

「設定」の一番上のユーザー名(Apple ID)をタップし、続けて「サブスクリプション」をタップする

現在利用中や有効期間が終了したサブスクリプションのサービスを確認できる。この画面から、サービスのキャンセルも行える。ただし、外部のサイトなどで契約したサブスクリプションは、ここには表示されないので注意しよう

便利

096 Appleの保証期間を確認する

購入後1年間は保証が付いている

本体設定

すべてのiPadには、製品購入後1年間のハードウェア保証と90日間の無償電話サポートが付いている。iPad本体だけでなくアクセサリも対象なので、ケーブルや電源アダプタも故障したら無償交換が可能だ。自分のiPadの残り保証期間は、「設定」→「一般」→「情報」にある、「限定保証」や「AppleCare+」、「保証期限切れ」などの項目でチェックしよう。

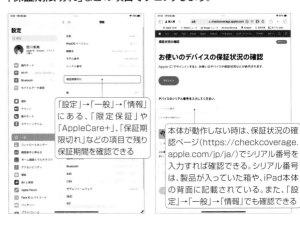

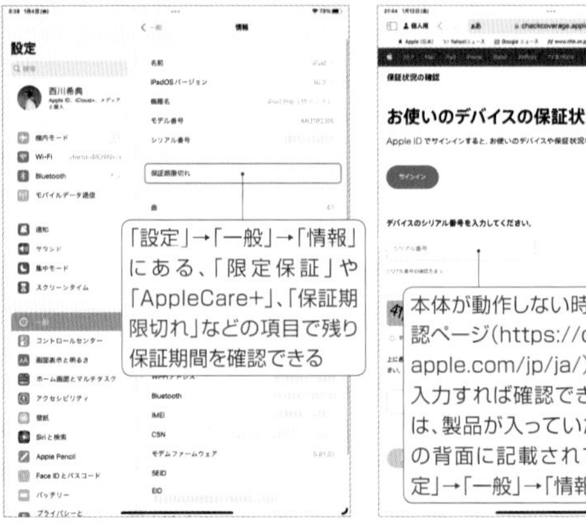

お使いのデバイスの保証状況の確認
「設定」→「一般」→「情報」にある、「限定保証」や「AppleCare+」、「保証期限切れ」などの項目で残り保証期間を確認できる
本体が動作しない時は、保証状況の確認ページ(https://checkcoverage.apple.com/jp/ja/)でシリアル番号を入力すれば確認できる。シリアル番号は、製品が入っていた箱や、iPad本体の背面に記載されている。また、「設定」→「一般」→「情報」でも確認できる

便利

097 アプリの調子が悪くすぐに終了してしまう

アプリを完全終了するか一度削除してしまおう

本体操作

アプリの動作が不安定なときは、まずそのアプリを完全に終了させてみよう。画面の下部から上にスワイプし、真ん中あたりで指を止めると、最近使ったアプリが一覧表示される「アプリスイッチャー」画面が開く。ホームボタンのあるiPadでは、ホームボタンをダブルクリックしてアプリスイッチャーを開いてもよい。この画面を左右にスワイプして不調なアプリを探し、上にスワイプすることで、アプリを完全に終了させることができる。あとはホーム画面に戻って、もう一度アプリを起動し直せばよい。この手順でもまだ調子が悪いなら、一度アンインストールしてしまおう。App Storeからアプリを再インストールし直せば解決することが多い。

1 アプリを一度完全終了してみる

画面の下部から上にスワイプし、真ん中あたりで指を止めると、アプリスイッチャー画面が開く。左右にフリックして終了させたいアプリを探し、アプリの画面を上にフリックすれば終了できる

アプリの動作がおかしいなら、画面の一番下から上にスワイプしてアプリスイッチャー画面を開き、完全終了させてから再起動してみよう。

2 アプリを削除して再インストールする

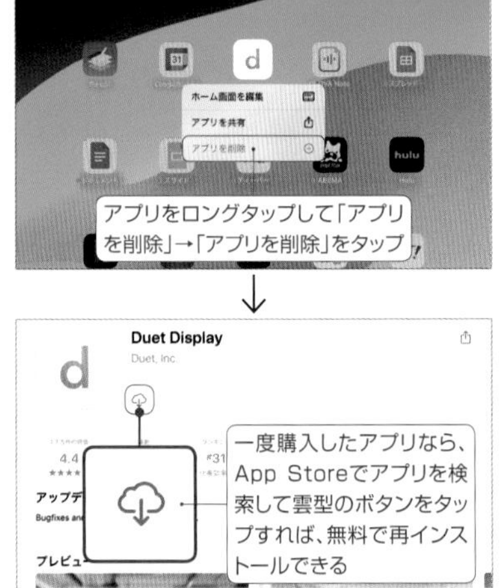

ホーム画面を編集
アプリを共有
アプリを削除
アプリをロングタップして「アプリを削除」→「アプリを削除」をタップ
Duet Display
一度購入したアプリなら、App Storeでアプリを検索して雲型のボタンをタップすれば、無料で再インストールできる

アプリを再起動しても調子が悪いなら、一度削除してから再インストールしてみよう。これでアプリの不調が直る場合も多い。

便利

098

本体操作

充電確認と再起動が基本

電源が入らない時や画面が固まった時の対処法

iPadの画面が真っ暗で電源が入らない時は、まずバッテリー切れを確認しよう。一度完全にバッテリー切れになると、ある程度充電してからでないと電源を入れられない。画面が固まったり動作がおかしい時は、iPadを再起動してみるのが基本的な対処法だ。ホームボタンのない機種は電源ボタンと音量ボタンの上下どちらかを、ホームボタンのある機種は電源ボタンを押し続けると、「スライドで電源オフ」が表示され、これを右にスワイプして電源を切ることができる。このスライダは「設定」→「一般」→「システム終了」をタップして表示させることもできる。

バッテリー切れを確認する、再起動する

1 電源が入らない時はバッテリーを確認

バッテリーが完全に切れると、しばらく充電しないと起動することができない

画面が真っ黒のままで電源が入らないなら、バッテリー切れをチェック。充電器に接続してしばらく待てば、充電中のマークが表示され、起動できるようになるはずだ。

2 調子が悪い時は一度電源を切る

ホームボタンのない機種は電源ボタンといずれかの音量ボタンを、ホームボタンのある機種は電源ボタンを、スライダが表示されるまで押し続ける

iPadの動作が重かったり、画面が動かない時は、電源(と音量)ボタンの長押しで表示される、「スライドで電源オフ」を右にスワイプ。一度本体の電源を切ろう。

3 電源ボタンを長押しして起動する

Appleロゴが表示されるまで長押し

iPadの電源が切れたら、もう一度電源を入れ直そう。電源ボタンをAppleロゴが表示されるまで長押しすれば、iPadが再起動する。

こんなときは?

うまく充電できない時は純正品を使おう

iPadを電源に接続して充電しているはずなのに、電源が入らない時は、使用しているケーブルや電源アダプタを疑おう。他社製品を使っているとうまく充電できない場合がある。Apple純正のUSB-C充電ケーブル(iPad第9世代など一部の機種はUSB-C - Lightningケーブル)と、純正のUSB-C電源アダプタを使って接続すれば、しっかり充電が開始されるようになる。

Apple
60W USB-C充電ケーブル(1m)
価格/2,780円(税込)

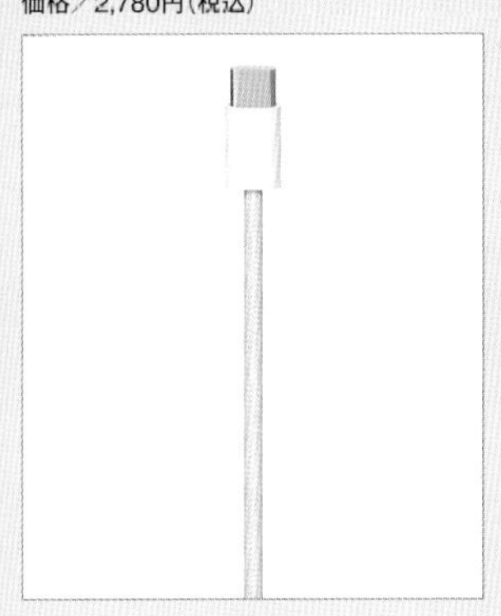

Apple
20W USB-C電源アダプタ
価格/2,780円(税込)

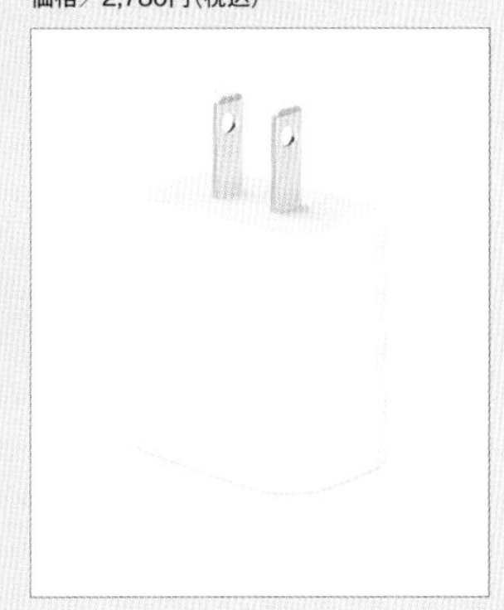

便利

099 トラブルは初期化で解決できることが多い 不調がどうしても解決できない時は

本体操作

No097やNo098で紹介したトラブル対処法を試しても動作の改善が見られないなら、iPadを初期化してしまうのがもっとも簡単で確実なトラブル解決方法だ。ただし、初期化すると工場出荷時の状態に戻ってしまうので、当然iPad内のデータはすべて消える。元の環境に戻せるように、iCloudバックアップ(No082で解説)は必ず作成しておこう。iCloudの空き容量が足りなくても、「新しいiPadの準備」を利用することで、一時的にすべてのアプリやデータ、設定を含めたiCloudバックアップを作成できる。この方法で作成したバックアップの保存期間は最大3週間なので、その間に復元を済ませよう。

iPadを初期化してiCloudバックアップから復元する

1 「新しいiPadの準備」を開始

タップ

まず「設定」→「一般」→「転送またはiPadをリセット」で、「新しいiPadの準備」の「開始」をタップし、一時的にiPadのすべてのデータを含めたiCloudバックアップを作成しておく。

2 iPadの消去を実行する

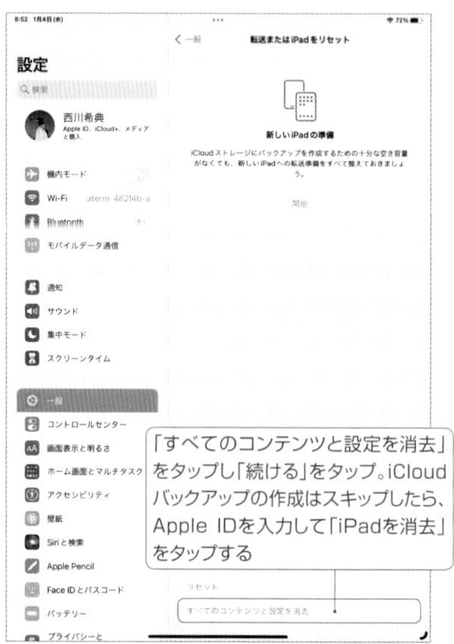
「すべてのコンテンツと設定を消去」をタップし「続ける」をタップ。iCloudバックアップの作成はスキップしたら、Apple IDを入力して「iPadを消去」をタップする

バックアップが作成されたら、「設定」→「一般」→「転送またはiPadをリセット」→「すべてのコンテンツと設定を消去」をタップしてiPadの消去を実行しよう。

3 iCloudバックアップから復元する

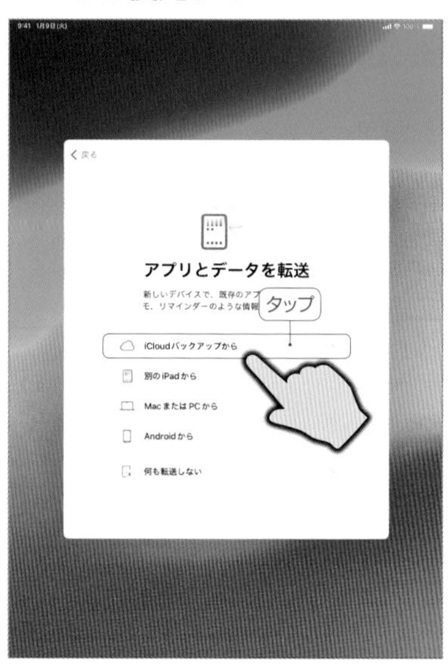
アプリとデータを転送
タップ

No082で解説しているように、初期化した端末の初期設定を進めていき、「アプリとデータを転送」画面で「iCloudバックアップから」をタップ。最新のiCloudバックアップデータを選択して復元しよう。

オススメ操作

破損などのトラブルはAppleサポートで解決

物理的な破損など、どうしても解決できないトラブルに見舞われたら「Appleサポート」アプリを利用しよう。Apple IDでサインインしたら、トラブルが発生したiPadと、その症状を選んでタップしよう。アップルストアなどに持ち込み修理を予約したり、サポートに電話やメッセージで問い合わせたり、トラブル解決に役立つ記事を読むなどの方法で解決できる。

Appleサポート
作者/Apple
価格/無料

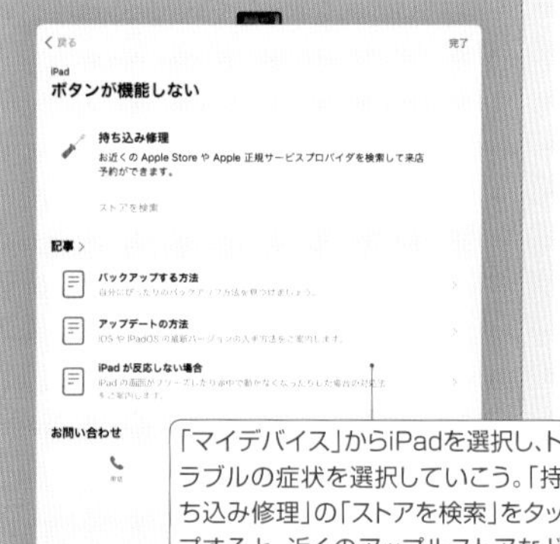
ボタンが機能しない
持ち込み修理
記事
お問い合わせ
「マイデバイス」からiPadを選択し、トラブルの症状を選択していこう。「持ち込み修理」の「ストアを検索」をタップすると、近くのアップルストアなどで持ち込み修理を予約できる

便利

100

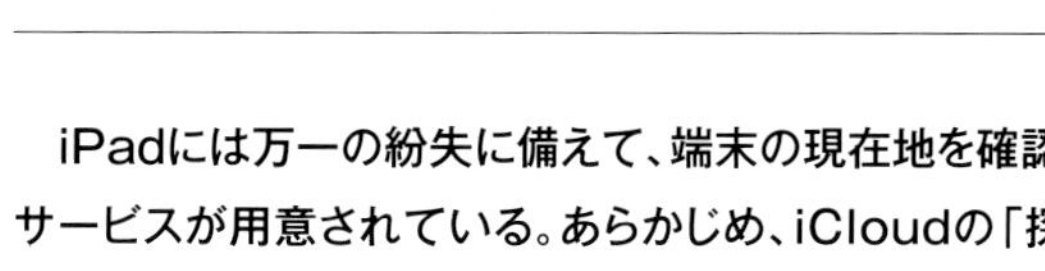
本体操作

「探す」アプリで探し出せる

紛失したiPadを探し出す

iPadには万一の紛失に備えて、端末の現在地を確認できるサービスが用意されている。あらかじめ、iCloudの「探す」機能を有効にしておき、位置情報サービスもオンにしておこう。紛失したiPadを探すには、同じApple IDでサインインしたiPhoneや家族のiPhoneなどで「探す」アプリを使えばよい。マップ上で場所を確認できるだけでなく、徐々に大きくなる音を鳴らしたり、端末の画面や機能をロックする「紛失モード」も有効にできる。なお、パソコンなどのWebブラウザでiCloud.com（https://www.icloud.com/）にアクセスすれば、「デバイスを探す」画面で同様の操作を行える。

事前の設定と紛失した端末の探し方

1 「iPadを探す」の設定を確認

設定
iPadを探す
すべてオンにしておく

「設定」で一番上のApple IDをタップし、「探す」→「iPadを探す」をタップ。すべてのスイッチのオンを確認しよう。なお、「設定」→「プライバシーとセキュリティ」→「位置情報サービス」のスイッチもオンにしておくこと。

2 iPhoneなどの「探す」アプリで探す

「探す」アプリを起動する
デバイスを探す
「デバイスを探す」で紛失したiPad名をタップ
iPhone
このiPhone
iPad
自宅・たった今
0 km
MacBook Pro
自宅・たった今
0 km
西川希典さんの Apple Watch
自宅・たった今
0 km

iPadを紛失した際は、同じApple IDでサインインしたiPhoneやiPad、Macなどで「探す」アプリを起動しよう。紛失したiPadを選択すれば、現在地がマップ上に表示される。オフラインの場合は、検出された現在地が黒い画面の端末アイコンで表示される。WindowsパソコンやAndroid端末しかない場合は、WebブラウザでiCloud.com（https://www.icloud.com）にアクセスし、Apple IDでサインイン。2ファクタ認証画面で「デバイスを探す」をタップすれば、認証をスキップしてデバイスを探す機能を利用できる。

3 家族や友人のiPhoneを借りて探す

家族や友人のiPhoneの「探す」アプリで「自分」→「友だちを助ける」→「サインイン」→「別のApple IDを使用」をタップ。Safariが起動するので、自分のApple IDを入力してサインインする↓
友達を助ける
人を探す
デバイスを探す
持ち物を探す
自分
iCloud デバイスを探す
2ファクタ認証も不要で「デバイスを探す」画面が表示される
新宿

家族や友人のiPhoneを借りて探す場合は、「探す」アプリで「自分」タブを開き、「友達を助ける」から自分のApple IDでサインインしよう。

操作のヒント

「探す」で利用できるその他の機能

マップ上の場所を探しても見つからないなら、「サウンド再生」をタップしてみよう。徐々に大きくなる音が約2分間再生されて、iPadの場所を特定できる。また「紛失としてマーク」をタップして機能を有効にすれば、iPadは即座にロックされ（パスコード非設定の場合は遠隔で設定可能）、画面には拾ってくれた人へのメッセージと電話番号を表示できる。Apple Payも無効になる。

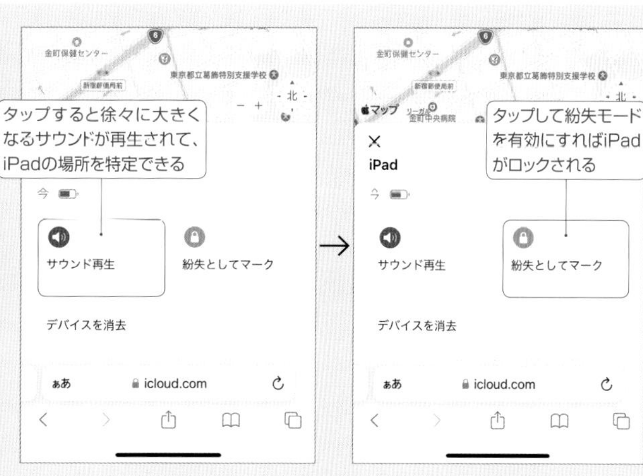
タップすると徐々に大きくなるサウンドが再生されて、iPadの場所を特定できる
サウンド再生
紛失としてマーク
デバイスを消去
icloud.com
タップして紛失モードを有効にすればiPadがロックされる
iPad
サウンド再生
紛失としてマーク
デバイスを消去
icloud.com

iPad
迷わず使える
操作ガイド

2024年2月5日発行

編集人
清水義博

発行人
佐藤孔建

発行・発売所
スタンダーズ株式会社
〒160-0008 東京都新宿区
四谷三栄町 12-4 竹田ビル3F
TEL 03-6380-6132

印刷所
株式会社シナノ

STAFF

Editor
清水義博(standards)

Writer
西川希典

Cover Designer
高橋コウイチ(WF)

Designer
高橋コウイチ(WF)
越智健夫

本書の記事内容に関するお電話でのご質問は一切受け付けておりません。編集部へのご質問は、書名および何ページのどの記事に関する内容かを詳しくお書き添えの上、下記アドレスまでEメールでお問い合わせください。内容によってはお答えできないものや、お返事に時間がかかってしまう場合もあります。

info@standards.co.jp

書店様用ご注文FAX番号
03-6380-6136

https://www.standards.co.jp/